中国人のお金の使い道

彼らはどれほどお金持ちになったのか

中島 恵
Nakajima kei

PHP新書

まえがき

私と中国とのつき合いは30年以上になるが、ここ数年、中国を訪れるたびに、IT化を中心とした社会の変化のスピードがあまりにも激しすぎて、「もう自分はついていけないかもしれない」と思うようになった。

最初にそれを感じたのは2014年の初めだった。上海市の地下鉄に乗っていて、車両に乗っているすべての人がスマートフォン（以下、スマホ）の画面を覗き込んでいることに気がついたとき、「一体、この国で何が起きているのか？」と衝撃を受けた。

ちょうどそのころ、ウェイボー（微博《ウェイボー》＝中国版ツイッター）よりも気軽に誰でも利用できるウィーチャット（微信《ウェイシン》＝中国版LINE）と呼ばれるSNSが猛烈な勢いで普及し始めており、中国中の人々がスマホに熱中するようになった。

変化のスピードが「加速した」と感じたのは2016年の夏ごろだ。

スマホを利用した電子決済サービス、ウィーチャットペイ（微信支付《ウェイシンジーフー》）やアリペイ（支付宝《ジーフーバオ》）を使う人が急増し、生活シーンそのものが一変した。

それまで中国の紙幣といえば、お世辞にもきれいとはいえないもので、偽札も横行していたが、レストラン、コンビニ、屋台、タクシーなど、ありとあらゆる支払いや、個人間の送金を、スマホを使った電子決済サービスで簡単に利用できるようになり、現金はだんだん使用しなくなった。

中国に定期的に取材に通っているものの、現地に住所や銀行口座を持っていないため、スマホ決済を利用できない自分は「置いてきぼり」にされた気分だったが、同じように思っていた中国人もいた。

２０１７年、上海市郊外でアパレル工場を経営する60歳の男性に会ったとき、寂しそうな表情で、こんなことをつぶやいていた。

「中国はこの十数年で１００年、いや２００年分くらい、すっかり時代が変わってしまいました。以前の中国は、もうどこを探しても見当たりません。自分も１００歳くらいになったような気分ですよ。とくにここ数年はスマホがなければ生活自体が成り立たなくなってきた。もう世の中についていけません」

他の中国人と約束する際はすべてウィーチャットのメッセージで連絡していたが、この男性だけは、私がメッセージを送ると、電話で返事が返ってきた。

一緒に食事をしたときの支払いは、スマホ決済ではなく現金だった。

私が「ウィーチャットペイは使わないのですか?」と聞くと、「そういうものは使いこなせなくて……」といって、表情を曇らせた。

食後は急に雨が降り出したのだが、男性はタクシーを呼ぶアプリ（滴滴出行《ディーディーチューシン》）をスマホに入れておらず、雨に濡れながら駅に向かって走っていった。

現役で働いている中国人にしては「珍しい」と思ったが、私のような外国人だけでなく、中国に住む中国人でさえ中国の変化にはついていけないのかと、そのとき実感させられた。


振り返ってみれば、中国がここまで劇的に変化したきっかけは、２０１４年ごろからのスマホによるインターネットの普及が何よりも大きい。

中国のニュースといえば、かつては政府主導のプロパガンダ（政治宣伝）が中心で、人々はマスメディアを信じていなかったが、ネットの発達により、ニュースは紙からネットに移り変わり、ネットメディアの情報量が爆発的に増えた。

ウェイボーやウィーチャットというＳＮＳのツールを使い、マスメディアや「自媒体《ズーメイティー》」（個人が発信するメディア）が大量に出回る中で、人々はむさぼるように情報を収集して、一挙に「物知り」になった。

ウィーチャットがさかんに利用されるようになった2017年ごろ、私は「中国人はこんなにも情報に飢え、自ら発信したいことがあったのか」と驚かされた。身近な話題から政治経済に至るまで、井戸端会議の場は路上からネット上に移り、朝から晩まで続いた。

そこで繰り広げられる話題は、中国人コミュニティにどっぷり浸かっている人以外には通じないものが多くなり、私もウィーチャットをやっているものの、キャッチアップが難しくなった、と焦るようになった。

彼らは1日中スマホにかじりついているので、地下鉄の車内は「ここは本当に中国か?」と思うくらい、急に静かになった。

中国人は今もマスメディアを信じない傾向があるが、親しい人や身内が発信した情報は信じる。そうした独特の社会を反映して生まれたのが、最近、大人気となっているKOL(キー・オピニオン・リーダー)だ。本書でその理由を紹介していくが、KOLを活用したライブコマースという販売手法は、新型コロナウイルス(以下、新型コロナ)の影響で落ち込んだ中国経済を救う救世主的な存在として、注目を浴びている。

経済的に非常に豊かになった彼らは、同時期から海外旅行にもさかんに出かけるようになり、海外に関する情報もすべてネットで入手するようになった。

過去数十年、国内で一度も経験しなかったことを、密度の濃い海外旅行でいっぺんに経験し、視野を広めた。私から見ると、それはまるで乾き切ったスポンジが大量の水を吸うかのような驚異的な吸収力だった。

東京・浅草を団体旅行で訪れるだけで喜んでくれているかと思ったら、翌年には瀬戸内海の小島を一人旅するくらい、洗練されていった。

第5章で紹介する「食の多様化」などは、海外旅行で見聞を広めたことが大きく影響しているし、現在、中国国内で続々と建設されているデラックスホテルのデザインや内装は、欧米のホテルや日本の高級旅館などのいい点を参考にしている。

十数年前にはほとんどの人が祝わなかった「クリスマス」や、その存在すら知らなかった「ハロウィーン」は、今や都市部の幼稚園なら、どこでもパーティーが開かれている。

「遅れてやってきた超大国」は、ネットの発達により、経済的な面だけでなく、文化や生活の面でも「リープフロッグ現象」(先進国が歩んだ進化の過程を後進国が一気に飛び越えてしまうこと。かえるとび現象)を起こしていたのだ。

それまで、「自分たちは遅れている。いいものはすべて中国ではなく海外にある」という劣等感にも似た気持ちを持っていた中国人が、世界中の情報を浴びるように吸収することによって、「量」だけでなく「質」の高いものを作り出せるようになり、中国人が国産ブランドを支持するようになった。

しかし、私が最も驚いたのは、前述したアリペイやウィーチャットペイといった電子決済サービスにより利便性が高まったことや、テクノロジーの進化が、人々の内面の意識や、それに伴う行動を180度変えたことだ。

利便性と内面の意識とは、たとえば、前述したタクシーを呼ぶアプリができたことによって、タクシーの争奪戦がなくなったこと。デリバリーのアプリを使うことによって、時間を効率的に使えるようになったこと。レストランの予約や支払いがアプリででき、履歴が残るので、日本で起きている「no show 問題」(予約した人がキャンセルの連絡をしないまま現れないこと)が中国では起きにくくなったこと、などだ。

レストランの店員の胸に貼ってあるQRコードに顧客がスマホからチップを支払うことで、店員のサービスが向上するだけでなく、彼らの仕事に対するモチベーションがアップし、中国人に初めてホスピタリティの心が生まれた。

電子決済サービスとは直接関係ないが、「信用」をデータ化するアプリができ、それを使うことによって自分の信用スコアを高め、社会のさまざまなサービスを優先的に受けやすくなった。街中に監視カメラが増えたこともあるが、自分の信用スコアが低くなるような悪事や犯罪が減り、社会全体を覆っていた「ストレス」もだいぶ減った。

日本では「スマホの個人情報が政府に筒抜けだし、監視社会に住む中国人には自由がない」と思っている人がいるかもしれないが、もともと不信社会だった中国に住んでいた当の中国人たちは、そのようには思っていない。

監視されても、誰かが悪いことをすれば発見されたり、映像データで解析できたりするようになったことは、むしろ社会の安全性や秩序につながり、歓迎すべきこと。世の中が便利なほうがいい、と中国人は考えている。

その結果、彼らに起きたのが価値観とライフスタイルの変化だ。

これまで、中国人といえば「身内や親友以外のことは信用しない」、「他人に騙されないように、中身を確かめてからモノを買う」、「脂っこいものが大好きで、テーブルに大量の料理を並べて大勢で食事をする」、「自分勝手で他人の迷惑を顧みない」、「行列に並ばない」……。こんなイメージを漠然と持っている日本人が多いと思う。

私自身もそうした固定観念を抱いていた1人だし、「中国あるある」だが、近年はそうではなくなってきた。とくに、子どものころからインターネットがあり、経済的に豊かな環境で育った若者たちは、それまでの中国人のイメージとは大きく異なっている。

第4章で紹介するが、90后《ジウリンホー》（1990年代生まれ）、00后《リンリンホー》（2000年代生まれ）と呼ばれる若者たちは、身内や親友以外のことも信じるし、中身を確かめないでモノを買う。

脂っこい料理よりも青汁やサプリメントを飲んで健康に気を遣うようになってきている。行列に並ばない人がいたら、その人を白い目で見たり、注意したりするのは、外国人よりも中国の若者たちだ。

超競争社会の中国だが、彼らには他人を蹴落としてまで這い上がろうとするギラギラとした野望がなく、日本のスマホ向けゲームアプリ『旅かえる』を楽しむような、繊細でおっとりとしたところがある。

これから本書で述べていくが、若年層になればなるほど、中国人の「草食化」「オタク化」は進み、日本人がイメージする中国人像から、かけ離れていっている。

少しでも実像に近づきたいと思って彼らを取材していくうちに、彼らの価値観やライフスタイルの変化をキャッチアップするためには、彼らが取る消費行動、つまりお金の使い道を知ることがいちばんわかりやすいし、日本人読者にとっても、お金の話は最も理解しやすいのではないか、と考えるようになった。

何に興味を持ち、何に、どのようにお金を使っているのかを知ることは、その人の生き方そのものを知ることにつながるからだ。

私自身、彼らのお金の使い道を知りたいという好奇心があったし、誰にとっても生きていく上で必要なお金から、「今の中国」が透けて見えてくるのではないかと思った。

また、2020年は新型コロナの感染拡大に世界中が翻弄された1年となった。最初の発生地である中国ではほぼ収束し、中国人は日常生活に戻っているが、新型コロナの期間中、彼らがどんなふうに生活し、何を買っていたのかを知ることも重要であると考えた。

本書では、中国人の家計で最も大きな比重を占める住宅費、食費のほかに、中国人が熱心に取り組んでいる子どもの教育費、高齢化によりかさんでいく介護費、若者のお金の使い方、副業に対する日本人との意識の違いなどを、六つの章に分けて紹介する。

とくに中国人が最も頭を悩ませている住宅問題については、1章と2章で取り上げた。

彼らは具体的に何にお金を使い、何を考えて生きているのか。お金の使い道は以前とはどれくらい変わったのか。その消費行動の実態に、できるかぎり迫りたいと思う。

・写真はクレジットを入れたもの以外は筆者撮影。
・為替相場は1元＝15円で計算した。
・変動の大きい年は当時の為替レートで計算した。
・地名は日本語読み、固有名詞は中国語読みに統一。

中国人のお金の使い道

目次

第1章 中国人が「お金持ち」になった理由

第2章 不動産なんてもう要らない

第3章 子どもの教育費と老親の介護、年金

第4章

欲しいものを手に入れる若者たち

第5章 美食と健康のためなら散財する

第6章 給料だけではわからない本当の懐事情

第1章

中国人が「お金持ち」になった理由

都市部住民の持ち家は平均1・5軒

第1章では、中国人の家計で、最も大きな比重を占める住宅費について取り上げる。中国国家統計局の2019年のデータ（図表1－1）で、都市部の家計消費支出のうち、住宅費は24％となっている。2009年の統計では10％だったので、10年間で倍増した。

住宅費といえば、住宅ローンか家賃ということになるが、中国の不動産市場の成り立ちには中国特有の背景があり、日本とは根本的に異なる。

中国人にとって不動産はかけがえのない財産であり、生活の基盤となる最も重要なものだ。むろん、日本人にとっても大事な財産であることに変わりはないが、日本人の意識の中では、財産というよりも「住居」や「終《つい》の棲家《すみか》」という実用的な意味合いのほうが大きいのではないかと感じる。

たいていの日本人にとって、不動産は「一生に一度か二度の最も大きな買い物」だ。

だが、中国人にとっての不動産はそうとは限らない。

財産や「住居」であると同時に「投資」の対象であり、自分の財産をさらに大きく増やしてくれる財テクの「道具」、人生のステップアップに欠かせない「踏み台」といった存在な

図表1-1　中国都市部の家計消費支出

		2009年	2019年	2020年上期
［都市部］ 消費支出／可処分所得		71%	66%	58%
消費支出の中身	食事	37%	28%	31%
	衣類	10%	7%	6%
	住居	10%	24%	26%
	家電など	6%	6%	6%
	医療	7%	8%	8%
	交通・通信	14%	13%	12%
	教育・レジャー	12%	12%	7%
	その他	4%	3%	2%

（出所）中国国家統計局
（作成）丸紅経済研究所

のだ。

だから、多くの中国人は不動産の購入に目の色を変えて夢中になるし、自分が住む不動産を購入しても安住せず、また別の不動産を手に入れようとする。

一般的な日本人は考えてみたこともない発想だと思うが、彼らにとっては、不動産には自分の住居という以上の大きな意味があるため、「不動産を１軒以上持っている」という人が少なくない。

２０２０年5月、中国人民銀行が発表した、都市部住民世帯を対象として行った資産状況に関する調査報告によると、都市部住民世帯の住宅保有率はなんと96％に上っていた。

そのうち１軒の住宅を保有する割合は58・

4％、2軒を保有する割合は31％、3軒を保有する割合は10・5％。1世帯平均で1・5軒を保有していることがわかった。

自分の不動産が値上がりしたら、タイミングを見計らって転売するためだ。そのようにして得た利益によって、中国人の懐《ふところ》は驚くべきスピードで豊かになっていった。

不動産とは「転売するもの」

本章のタイトルである「中国人が『お金持ち』になった理由」を二つ挙げるとすれば、その一つ目は、不動産の転売である。

2020年7月、北京市内に住む40代の女性に電話を掛けた。雑談をしていたとき、彼女が最近見かけたという、ある不動産の話を始めた。自宅に近い新築マンションの展示場に人だかりができていたというのだ。

その不動産というのは、北京市の東四環路という大きな道路を越した住宅地にあり、1平方メートル当たり、約9万8000元（約150万円）もするもの。

中国の高級物件は最低でも100平方メートル以上の面積があるものが多いので、100平方メートルなら、単純計算でも日本円で約1億5000万円ということになる。

そのころ、北京市では新型コロナ問題がほぼ収束していたとはいえ、消費が落ち込んでいる中、そんな高級物件の展示場に人だかりができていると聞いて私は驚いたのだが、友人はとくにびっくりしたという様子もなく、こう続けた。

「だって、今なら絶対にお買い得だから、以前から狙っていた人が飛びつくのは当たり前ですよ。新型コロナの影響で、どこも不動産の価格が下がっているんですから」

確かに、2020年5月、中国全体の不動産販売額は、前年同期比16％増と、新型コロナ前よりもアップしていた。同じころ、小売の売上高は同3％減であるのと比べ、不動産はいち早く、新型コロナ前の状態に持ち直した。

2003年にSARS（重症急性呼吸器症候群）が発生したあとも中国の不動産価格は一気に値下がりしており、そのときのことを覚えている中国人は今回のコロナ禍を「チャンス到来」と思い、即座に行動に移したのだ。

その女性は10年以上前にも、日本円に換算して3000万円ほどの不動産をローンで購入しており、現在ならその価値は「少なくとも5倍にはなっていると思う」と話す。

それでも「今もう1軒買っておけば、10年後はきっとさらに価値が上がって転売できるはず。そうしたら、もっと優雅な生活ができるんじゃないかな」と、夢見るようにつぶやいて

中国のマンションの一室。大都市では価格が高騰している（筆者の友人提供）

いた。
驚くような値で転売することを可能にした背景には、２０００年代、中国が年率10％以上の経済成長を果たし、その後も比較的高い経済成長率を維持してきたこと、そして、不動産価格も、一時期を除いてほぼ右肩上がりで上昇し続けてきたことがある。

日本は１９８９年から２０１９年までの30年間でＧＤＰが１・３倍にしか増えていないが、中国は30倍に増えた。

中国国家統計局のデータによると、住宅の販売価格は２０００年から２０１９年までの19年間で、５倍近くに膨れ上がっている。

上海在住の30代の男性の友人がこんなことを漏らしていた。

「一般的な中国人なら、もし毎月３０００元（約４万５０００円）くらいでも余裕があるならば、そのまま放っておかない。もしすでに１軒不動産を持っている人なら、きっと２軒目を買うことを検討しているはずです」

近年は「不動産を買わない」という選択をする若者も増えてきているが、もう少し上の世代なら、そう思うはずだという。

それはまさしく、彼らの多くが「不動産さえ持っていれば、その価格が上昇し、それが所得を増やすことにつながるはずだ」という「不動産神話」を今も信じているからに他ならない。

住宅は「単位」から払い下げられた

そもそも「一つ目の不動産」はどのようにして手に入れたのだろうか。

中国の不動産市場の歴史は浅い。

1978年の改革開放より以前、住宅を建設、または管轄していたのは地方政府や国有企業などで、不動産は民間に開放されていなかった。

中国では住宅分配制度が施行されており、都市部に住む中国人のほとんどは「単位《ダンウェイ》」（当時の国営企業や工場、学校、団体などの組織）に所属していたが、住宅はその「単位」から非常に低い家賃で支給されるというものだった。

1960年代の文献を読むと、家計に占める家賃の割合は2％程度しかなく、住宅は「社宅」と言い換えてもいいものだった。住宅は職場の敷地内や近隣に位置しており、1人当たり約3平方メートルの居住面積しかなく、トイレや台所などは、他の居住者と共用であることがほとんどだった、と書かれている。

1980年代に入り、住宅制度改革が始まると、徐々に分譲住宅の販売が解禁されるようになった。

中国では、土地は国家のものであり、企業や個人が土地を売買することは禁止されているが、土地の使用権は、地方政府（または国家）の許可を得れば取得することができる。住宅の場合、その使用権は最長で70年までとなっている。

1990年代後半になってようやく分譲住宅の開発や販売が進むとともに、それまで「単位」に支給された住宅に住んでいた人々は、その住宅をかなり低価格で払い下げられるようになった。

そのようにして得たのが「一つ目の不動産」だ。

その不動産は、一定期間は転売が禁止されていたが、上海市などを皮切りに、次第に転売が解禁された。

東京都内に住む50代の中国人の友人によると、2000年ごろ、吉林省に住む両親は「単位」から支給されていた広さ40平方メートルほどの狭い住宅を1万5000元（当時のレートで200万円）で払い下げられた。エレベーターのない5階建ての古い物件の3階だった。

友人によると、その物件は10年ほど前に転売。その際、価格は10倍の2000万円に跳ね上がっていたという。おかげで友人の両親は、そのときに得た資金で生活しているという話だった。

北京市や上海市などの大都市でも同様で、安価で入手した不動産を高値で転売したり、それを他人に貸して自分は新しい分譲住宅を購入したり、あるいは転売で得たお金を元手に新規事業を始めたりする、という人が多かった。

中国初の分譲住宅は1981年に建設された広東省深圳《しんせん》市の「東湖麗苑」というマンションだといわれているが、当時の販売価格は1平方メートル当たり1000元（当時の為替レートで約12万9000円）だった。

中国の不動産サイトで検索すると、2020年9月現在、1平方メートル当たり約5万8000元（約87万円）と表示されており、中国元ベースで見れば、約40年間で50倍以上も値上がりしたことがわかる。サイト上で売り出されている「東湖麗苑」の中古の1室を見ると、面積は46平方メートル、価格は276万元（約4140万円）だった。

立ち退きは「おいしい話」

不動産によって莫大な収入が手に入るもう一つの手段が、不動産開発によって起こる「立ち退き」だ。

日本では、立ち退きの際に支払われる金額は、家賃相場の約6ヵ月分といわれており、現在では、立ち退きによって裕福になる、というイメージは薄れてきているが、高速道路や高速鉄道などのインフラ整備がまだ続いている中国では、認識が異なる。

ニッセイ基礎研究所の研究員で、中国の不動産事情などに詳しい胡笳氏によると「中国の土地管理法では、公共の利益のため、国は法律に基づき、土地を収容することができ、その代わり（建物およびその他の定着物に対して）補償する必要がある、と明記されています。補償は立ち退き料が支払われる場合と、新築住宅が支払われる場合があり、ときにはその両方とも支払われる場合もあります」という。

立ち退きについて、地方政府による基準はあることはあるが、明確な基準は公表されていない。中国でもし自分の家が立ち退き物件に当たれば、「一夜にして億万長者になるケースも珍しくありません」と胡氏はいう。

日本のメディアでもときどき中国の「立ち退きを拒否した民家」が紹介されることがある。日本ではそれを、強制的に立ち退かせようとする地方政府（または開発業者）VS.かわいそうな市民、といった構図で語られることもあるが、中国で立ち退きといえば、実は「おいしい話」である。

立ち退き＝自分にもついにチャンスが巡ってきた、とほくそ笑む中国人が多いのだ。

そのため、以前は膨大な金額を要求し、その条件を受け入れなければ絶対に立ち退かない、と強気に出る住民がいたが、近年では、そこまでして立ち退きを拒否するケースは減ってきている。

地方政府（または開発業者）が、その家だけを取り残して、そのまま建設を始めてしまう、という強硬手段に出るようになったからだ。

2020年8月、広東省広州市に海珠涌大橋という全長400メートルの大橋が完成したが、その橋の途中に1軒だけポツンと取り残された民家があり、異様な光景となっている。中国のニュースでも大きな話題となった。

中国では、このような物件は「釘子戸《ディンズフー》」（抜けない釘のようになった家）と呼ばれている。最終的に金銭的な条件が合わなかったため、その1軒だけ取り残され、まるで観光名所のようになってしまったのだが、ネット上では、民家が要求した金額について「400万元（約6000万円）、いや800万元（約1億2000万円）も吹っ掛けたらしい」などという噂が飛び交った。

中国人の中には「ここまでごねたら逆に損をすることになるのではないか……」「もう少し妥協していれば、新築の家と多額の現金が手に入ったのに……欲の皮が突っ張りすぎたのだろう」と冷めた目で見ている人もいた。

北京市の平均世帯資産は1億3392万円

このようにして不動産を手にした中国人は急速に「お金持ち」になっていった。

前述した中国人民銀行の調査結果をもう少し詳しく見てみよう。

この調査は2019年10月下旬に全国30省（自治区・直轄市）、約3万1000の都市部住民世帯（約10万人、1世帯平均3・2人）を対象に、資産負債状況のサンプル調査を実施したものだ。

これによると、都市部住民世帯の総資産の平均値は317・9万元（約4770万円）だった。省（自治区・直轄市）別に見ると、世帯資産が最も多いのは北京市で892・8万元

（約1億3392万円）、続いて上海市が806・7万元（約1億2100万円）、江蘇省が506・9万元（約7603万円）の順。

最下位は新疆ウイグル自治区で127・5万元（約1912万円）だった。北京市の1世帯の平均資産は新疆ウイグル自治区の約7倍であり、地域格差が大きいことを示している。

内訳を見ると、家計資産は実物資産（主に住宅）を主とし、1世帯平均の実物資産は家計資産の8割となっている。

1世帯の平均金融資産は64・9万元（約973万円）で、家計総資産の約20％を占めている。このことから、中国人の資産の多くは「住宅」であることがわかる。なお日本の1世帯の平均金融資産は1139万円となっている（2018年、金融広報中央委員会の資料による）。

ちなみに、中国人の平均貯蓄額について、2020年10月、「網易」というメディアによると、主要都市の平均貯蓄額ランキングは、1位が北京市で約18万元（約270万円）、2位が上海市で約13万元（約195万円）、3位が深圳市で約12・3万元（約184万円）、4位が広州市で約12万元（約180万円）、5位が太原市（山西省）で約11・8万元（約177万円）だった。

給料自体が劇的に上がっている

経済成長の波に乗り、都市部では不動産バブルの恩恵に浴した人々が多かったわけだが、不動産だけでここまで豊かになったわけではない。

国有企業の躍進や「ＢＡＴＨ」（バイドゥ、アリババ、テンセント、ファーウェイの頭文字）などの大手プラットフォーマー、民間企業の台頭により、会社員の所得自体、目覚ましい勢いで増えているのだ。

上海市統計局のデータによると、２０１９年の上海市の平均給与は９５８０元（約14万３７００円）だった。

これは国有企業と民営企業のそれぞれで算出された平均年収を合わせ、12ヵ月で割った金額だ。実際は平均年収しか公表されておらず、春節（旧正月）前には年１回のボーナスがあるので、月額の受取額で見ると少し変わってくる。これはあくまでも月ベースで見た場合のイメージである。

遡《さかのぼ》ってデータを見ると、２０１８年の平均給与は８７６５元（約13万１４７５円）、２０１５年は５９３９元（約８万９０００円）、２００４年は２０３３元（当時のレートで約３万２

５００円）だった。

上海市の正社員の給与の昇給率は、２０１６〜２０１８年までは14％、２０１０〜２０１５年までは10％、２００４年から２０１９年までの15年間で５倍近くまで急上昇していることがわかる。

ちなみに、２０１９年の北京市の平均給与は７８２８元（約11万７４００円）、広東省深圳市の平均給与は７３６１元（約11万４１５円）となっており、上海市は最も高い。

初任給の上昇率もうなぎ上り

大卒者の初任給に関するデータを見てみよう。

中国の人材紹介会社である中智人力資源管理が約２７００社を対象に実施した調査によると、２０１８年の全国の大卒者の初任給の平均は５０４４元（約７万６０００円）だった。

これはあくまでも全国平均だが、その中で最も高いのは、やはり上海市だ。

上海市人力資源社会保障局と上海市学生事務中心が共同で調査したレポートでは、２０１９年の上海市の大卒者の初任給の平均は７１０３元（約10万６５００円）だった。

２０１８年の６０２４元（約９万円）よりも18％もアップしている金額であり、全国平均よりも2000元近く高い。

ちなみに、日本の厚生労働省の調査では、2019年の日本人の大卒者の初任給の平均は約21万200円。上海市のちょうど2倍になる。

別のデータもある。

教育関連の「新東方網」というウェブサイトに掲載されていた2019年の調査によると、初任給が最も高い業界はIT系、技術系など理系で、営業職や総務などは比較的低かった。

学位別では、博士課程修了者の初任給が1万5355元（約23万円）、修士課程は8777元（約13万1600円）、学部卒が5999元（約9万円）だった。

博士課程修了者なら、すでに日本の学部卒と肩を並べるところにまできていることがわかる。

省・直轄市別では、上海市、北京市、広東省、浙江省の順。最も初任給が低いのは、下からチベット自治区、甘粛省《かんしゅくしょう》、寧夏回族自治区《ねいかかいぞくじちく》で、上海市とチベット自治区の初任給には約2700元（約4万円）の格差があった。

7年間で給料は4倍以上

中国企業の大きな特徴の一つは、業界や年齢、性別に関係なく、実力次第でどんどん昇給していくことが可能、という点だ。

前述した通り、上海市の正社員の給与の昇給率は14％以上だ。人によっては20％以上ということもあるため、初任給が日本企業よりもかなり少なかったとしても、30歳になるころには、日本企業の給料を追い越している場合も少なくない。

昇給率を聞いただけではピンとこないが、直に話を聞いてみると、いかに彼らの給料が上がっているか実感できる。

上海市のエンターテインメント系企業で働く31歳の黄炎氏（仮名）は２０１３年に入社して以降、２０２０年でちょうど7年になる。上海市内にある有名大学大学院の修士課程に在籍中、知人の紹介で同社を知り、インターンとして入社した。

仕事内容は版権を持っているキャラクターと他社ブランドとのコラボやイベントの企画・運営などだ。中国でもここ数年、エンターテインメント市場は活況を呈しており、会社の業績は右肩上がりだ。

仕事柄、週末にイベントがあれば出勤するが、基本的に勤務は平日のみで、夜7時ごろには退勤できる。

２０１３年の初任給は約６０００元（当時のレートで約9万円）だったが、2年後に大学院を修了して正社員になると、月給は1万元（約15万円）に昇給した。

それから5年、２０２０年は手取りで2万８０００元（約42万円）にまで上がっている。インターンとして入社してからの7年間で給料は4倍以上になった計算だ。

この男性の場合、給料が６０００元だった時代は、上海市郊外にある家賃２５００元（約3万７５００円）の住居を間借りしていた（本人いわく、ネズミが這い回る部屋だった）が、月給が上がるたびに、少しずつ市中心部に近づくように引っ越していき、現在は中心部の地下鉄駅からほど近い家賃６０００元（約9万円）の小ぎれいなマンションに住んでいる。

7年前に自身がもらっていた給料と同額のマンションだ。

河南省出身の38歳、趙小燕氏（仮名）の場合、留学を経て、２０１２年に上海市内のメーカーに就職した。当時の月給は同じく６０００元（約9万円）だったが、その後、8年間で5回転職し、転職するたびに給料は1万元、1万６０００元とステップアップしていった。

現在の会社ではＩＴ部門の課長に昇進し、約3万３０００元（約49万５０００円）の給料をもらっている。

この女性の場合、マンション購入のため節約生活を送っており、今の会社に転職する以前から、郊外の家賃３０００元（約４万５０００円）のシェアハウスに住んでいる。地下鉄の駅からバスに乗り継ぎ、最寄りのバス停から徒歩10分という不便な場所だ。

２人の勤務先は中国では大企業ではなく、知名度が高いわけでもない。

ごく一般的な中堅企業だが、それでも日本人の目から見て、少なくない給料といえるのではないだろうか。

上海市内で日系企業の総経理（社長）を務めている女性は、こんなことをいっていた。

「うちの会社の運転手さんには30歳の息子さんがいるのですが、その息子さんは人材紹介会社、息子さんのお嫁さんは外資系企業に勤務していて共働き。どちらも月収は３万元（約45万円）くらいあるそうです。

30代で月給3万元なら、まあ普通だと思います。でも、２人合わせたら月収は6万元（約90万円）になりますよ。家賃を払っても、これだけの収入があれば、年に何回か海外旅行に行く余裕もあるはず。現に２人でよく行っていると聞きました。

これは私見ですが、彼らのような若い夫婦はとても多い。共働きで子どもがいないＤＩＮ

KS（Double Income No Kids）で、自分たちの好きなようにお金を使える。今の上海市の大卒夫婦の典型なのかな、と思います」

高給でも働きすぎが社会問題に

アリババやファーウェイといった中国を代表する有名IT企業であればどうだろうか。

友人のつてを辿り、深圳市に本拠を置く通信機器メーカー、ファーウェイに勤務する27歳の男性に連絡を取ることができた。その男性は名門大学の修士課程（理系）を修了後、ファーウェイに入社した。

所属する部署は明かせないということだったが、初任給は手取りで2万元（約30万円）だったというから、中国企業の初任給としては最高ランクに入るといっていいだろう。

入社3年目で、現在は3万6000元（約54万円）にアップしているという。

この金額だけ見ると驚かされるが、ファーウェイは2017年、日本に進出した際、初任給を40万円以上に設定する、と公表して大きな話題になったことがあった。

日本人の大卒の初任給の約2倍だが、ファーウェイの基準からすると、この男性がもらっているのは驚くような金額ではない。

ただ、その男性はメールの最後にこう書き添えていた。

「給料は確かに高いです。でも、その代わり仕事はものすごくハード。週末もほとんど仕事をしており、大型連休でも完全に休むことはできません。毎晩0時くらいまで仕事をしています。自分の時間はほとんどないといってもいいくらいです」

中国の有名IT企業となれば、どこも高給が約束されており、自社株ももらえる。誰もがうらやむようなエリート街道を歩んでいるように見えるが、その一方で労働時間は長く、仕事のプレッシャーは半端なく、勤め始めてから数年で身体を壊したり、精神的に病んだりする人も多いと聞く。

そのため転職も激しく、ライバルのIT企業同士で技術者の奪い合いも激しい。ヘッドハンティングされる際は、年収の1・5倍や2倍といった高額な報酬が提示される場合もあり、家（マンション）や交通費（毎日のタクシー送迎）まで用意してもらえることもあるそうだ（中国の企業は通勤に伴う交通費を社員に支払わないところが多い）。

2019年、中国では「996問題」がホットな話題となった。日本メディアでも取り上げられたが、996問題とは朝9時から夜9時まで、週6日間働き続けることだ。

この問題が話題になったきっかけは、同年3月、ソフトウエア開発のあるプラットフォームに「９９６．ＩＣＵ」という名のプロジェクトが立ち上げられ、そこにプログラマーなどが自分たちの過酷な労働環境について、次々と投稿したことからだった。

ＩＣＵとは「集中治療室」の意味だが、９９６で働き続ければ身体を壊し、きっとＩＣＵに行くことになってしまう、という自虐的な意味が込められている。

この問題に対し、アリババの創業者、ジャック・マー（馬雲）氏が反論ともいえる意見を発表したことが大きな波紋を呼んだ。

「９９６で働けることは幸せなことなんだ。多くの企業の社員や個人は９９６で働く機会すらない。むしろ誇りに思うべきだ。若い時代に９９６をしなければ、一体いつ働くというのか。他人よりも努力し、時間を費やさなければ、自分の望むような成功を手にすることはできない」（マー氏）

これが「長時間労働を肯定している」としてさらなる反発を呼び、マー氏は発言の修正を余儀なくされたが、つまり中国ではそれくらい、一部の企業では長時間労働が当たり前になっている、ということを意味している。

ボーナスは1000万円？

かつて日本人は「働きバチ」と呼ばれ、バブル時代後半の1988年には「24時間、戦えますか？」という歌詞が印象的な栄養ドリンクのテレビCMが流行するほど「働き詰め」だった。その結果、日本経済は躍進し、日本人の所得もどんどん上がっていったという側面があるが、今そうした生活を送っているのが中国人だ。

2016年ごろ、都内に住む中国人から「親戚の話」として聞いたのは、上海の大手金融機関に勤務する女性のエピソードだ。当時30代後半で管理職に就いていたが「ボーナスは、日本円で約1000万円くらいだ」と話していたそうだ。

中国のボーナスは1年に1度、年末か春節前（1月ごろ）に支払われることが多い。

私はその話を聞いたとき「100万円の間違いではないですか？」と思わず聞き返したのだが、本当だった。

しかも、その親戚の女性はあまりにも仕事がハードなため、家族と住む自宅とは別に、職場のすぐ近くに会社負担で部屋を借り、そこから職場に通っていた。そのため、母親でありながら、小学生の子どもの世話はすべて同居する両親に任せっきり。子どもに会えるのは週末の1日だけということだった。

ちょうど「爆買い」ブームの真っ只中の時期だったが、その親戚はストレス解消のため、大型連休を使って数日間日本旅行にやってくると、300万円ほどの買い物をして帰ると話していた。

日本の一般会社員にとって「ボーナス1000万円」は今でもちょっと想像がつかない世界だが、これは現在ではなく数年前の話。もしかしたら、今は「ボーナス3000万円」になっているかもしれない……。

そう思っていたら、友人からこんな話も聞いて驚いた。

「私の知り合いは30代前半で、テンセントで開発の仕事をしているんですが、ボーナスは1000万元、つまり日本円で1億円を軽く超えているそうです。それくらいもらえるのはごく少数の限られた人だけ、ということらしいのですが……」

もはやボーナスという概念すら超えている金額だ。

支度金1000万円で大学の准教授に

「1000万円」にまつわるエピソードがもう一つある。

「先生は本当に優秀な人材です。うちの大学で、日本円で1000万円の〝支度金〟を用意するので、ぜひ准教授として来ていただけないでしょうか？」

2019年春、東京都内で働く30代の中国人男性は、突然こんな話を持ち掛けられた。具体的な大学名は明かせないが、内陸部にある規模の小さな大学の担当者からのヘッドハンティングだった。

「驚きましたが、以前から、いつか中国に戻って大学の教壇に立ちたいという夢があったので、この千載一遇のチャンスにすぐ飛びつきました」

私はこの男性と友人で、中国に帰国する少し前に会った際、たまたまこの話を聞かされた。

中国への航空券代や引っ越し費用など、諸経費を含んだ金額のようだが、こんなことは普通にあることなのだろうか。

男性によると「今、中国の大学は人材の奪い合いが非常に激しいんです。内陸部の省にある小さな大学は、このくらいの金額を出さなければ、いい人材はなかなか集まらないんだと、あとで聞きました」ということだった。

男性は中国の高校を卒業後、来日。日本の有名国立大学の博士課程を修了後、都内にある中国系企業で働いていた。大学側にとっては、男性の学歴はもちろん、東京でのキャリアや日本で培《つちか》った人脈も、中国の大学生を指導する上で魅力的に映ったようだ。

男性がこの話に乗ったのは、1000万円の支度金が魅力的だったということもあるが、大学側が妻の講師としてのポストも用意する、と約束してくれたことが大きな後押しとなった。

男性は同じ中国人の妻と2人暮らし。もし中国に帰国するなら、当然妻も一緒だ。妻も研究職を希望していたため、2人一緒に凱旋できることが、とてもうれしかったという。

話がまとまってから、短期間で仕事を片づけ、中国へと帰国して1年。

ひさしぶりに男性に電話を掛けてみたところ「ちょうど今、夏休みなんです」といって、快く話を聞かせてくれた。

「この大学に就職できて、本当に満足しています。学生たちは素朴でまじめだし、教師の仕事にもやりがいを感じています。学期中の授業は、90分授業が週に4コマだけで、時間的に余裕がありますので、好きな研究や読書にも没頭できます。まさに、自分がいつかやりたいと願っていた理想の学究生活を送ることができています」

現在の生活ぶりについて聞いてみた。

「この大学の准教授の給料は1ヵ月9000元（約13万5000円）。妻の給料は5000元（約7万5000円）ですから、2人合わせて1ヵ月1万4000元（約21万円）ですね。中国では同じ国立大学でも、大学によって教員の給料は異なります。

住居は教員用住宅で、広さ60平方メートル。私たちの場合、家賃は2年間無料という特典つきでした。私たちが住んでいる内陸部の省は、北京や上海とは違って家賃は安いのですが、それでも、月に1000～1200元（約1万5000～約1万8000円）はかかる。ですから、2年間の家賃無料は助かります。

食事は朝と夜は自宅で自炊。お昼は大学の食堂で食べますが、教員はすべて無料で食べられるのです」

大学のキャンパス内に住んでいることもあり、北京や上海に比べて生活費は何でも安いのではないかと思うが、聞いてみると、必ずしもそうではないという。

「実は先月、初めて家計簿をつけてみたんです。最初はノートにメモして、そのデータをスマホに入力してみました。というのは、この辺は田舎なのに、ちょっと物価が高いな、ということに気がついたからなんです。

物流の研究をしている学生に聞いてみて初めてわかったのですが、中国の内陸、西南部の物流の中心地は四川省成都市だそうです。あらゆる商品はまず成都に届き、そこから近隣の省や市へと運ばれていくので、成都は大都市でありながら比較的物価が安く、私が住む都市は物価が高いということがわかりました。果物は安いのですが、海産物はほとんど売っていないですし、川魚なども少ないですね」

物流コストが上乗せされるので、田舎のほうがかえって物価は高くなる、ということは日本でもあることだが、中国でも内陸部の都市だからといって、何でも安いというわけではないそうだ。

「でも、その代わり、この辺りは、夏は涼しく冬も暖かいので冷暖房は不要です。私たち夫婦は、食費以外、本を買い込むくらいで、ほとんどお金がかからないんです。

東京に住んでいたときは、家賃10万円、35平方メートルのマンションに住んでいました。共働きでしたが、東京は中国から仕事や遊びでやってくる友だちが多く、ごちそうしなければならない機会も多かったので、貯金はほとんどなかったのです。

でも、今はそういうこともありませんし、何より物事を考えたり、勉強したりする時間がたっぷりある。だから、東京にいるころに比べたら、今は経済的にも精神的にもずっと余裕があると思います。職業が変わっただけでなく、自分のライフスタイルも変わったんだなと思います」

国有企業の「公にされない別手当」

別の大学で教鞭《きょうべん》を執る男性（35歳）の例も紹介しよう。

その男性は留学を経て、2017年に北京のある大学の専任講師として採用された。2年間働いたのち、能力を買われ、別の大学にヘッドハンティングされた。高額なボーナスや支度金をもらったわけではないが、転職することによって安定的なポストを得ることができた。

「給料は前職が1万6000元（約24万円）で、移転先では1万7000元（約25万5000円）とあまり変わらないのですが、転職した理由は准教授のポストを用意されたからでした」という。

前職は期間限定の専任講師というポストで、6年後には「クビ」になる可能性もあったが、転職先ではそうではなく、契約の更新はあるものの、基本的にはずっと在籍することが可能だ。そのことが移転を決意した要因だという。しかも、移転先の大学では授業数の負担も少ないなど、トータルで見て条件がよかった。

「中国の大学で生き残っていくためには、学生のために熱心に授業の準備をするよりも、英語や中国語の論文を1本でも多く執筆したり、研究資金の獲得のために努力したりするほうがいい、と誰もが思っています。授業をがんばっても、学生以外には評価されませんが、論文は明確な結果が出て、金銭にも結びつくからです」

第6章でも述べるが、大学教授として知名度が高まれば、民間企業などから高い講演料を受け取ることができる。経済・経営系の教授ならば、コンサルタントなどの仕事もでき、収入はグンとアップする。大学の月給の何倍もの報酬を得ることが可能だ。

この男性の話で驚かされたのは、以前勤務していた国有企業の話だった。

国有企業の中でも大手の中央企業は中国語で「央企《ヤンチー》」といい、超エリートコースと呼ばれるが、この男性は10年以上前に「央企」に勤務。当時の月給は4000〜5000元（当時のレートで約4万8000〜約6万円）だった。

国有企業で業績がいい場合は、通常のボーナスとは別に、ボーナスが支給されることもあるという。

その支給方法として、「入金・記帳された通帳をそのまま手渡しで支給されるケースがある」そうだ。別通帳でもらうボーナスは、公表されるものではないという。

国有企業は初任給が低いにもかかわらず、人気が高いのは、このような「公にされない別手当」があるからだといわれており、それは公務員も同様だ。

公務員に多い「手当」とは

中国の公務員の仕事は、中国共産党のほか、行政機関、司法機関、検察機関などに分かれており、中央と地方がある。一口に公務員といってもさまざまなランクと職位、職種に分かれている。

かつて公務員の仕事は「鉄飯碗《テイエファンワン》」といわれた。政府などの公共機関は、国家がなくならない限り仕事がある。「割れない鉄で作ったお碗のように安定していて揺るがない」という意味でこういわれた。

一般的に中国の公務員の給料は高くないといわれるが、それでも「安定している」「クビにならない」「残業がない」「プレッシャーが少ない」「社会的地位が高い」という理由で常に人気が高く、公務員を目指す人は後を絶たない。

中国で公務員になるには、毎年秋に行われる「国考《グオカオ》」（国家公務員考試）を受験して合格しなければならない。

私の友人（30歳）も準公務員となった。

正式には準公務員という名称はないが、事業単位の筆記試験と面接に合格すれば、準公務員のような立場になれる。国家試験を受験する必要がない代わりに、期間限定での採用だ。

友人の場合、3年前から博物館の文化財関係の部門で働いている。

給料は6000元（約9万円）ほどと多くはないが、食事や医療などさまざまな面で「手当」がもらえたり、優遇されたりするのが民間企業とは異なる魅力だという。

「クビ」にはならないし、期間限定とはいえ、契約は更新できるので「安定度」は高い。

「手当」というのは、友人の勤務先の博物館の場合、館内でのみ使用できる電子チケット（900元＝約1万3500円）があり、3ヵ月に1回入金されていくシステムになっている。それを使って格安の価格で昼食を済ませることができるほか、館内の売店で販売されている食品などの購入はそれで済ませることが可能だ。勤務中はほとんどお金を使わなくて済む。

友人の母親は公務員、祖父は元軍人で、後に学校の校長を務めたこともあるなど、公務員一家だ。そのため、もし病気になれば、専門の医療機関で優先的に診察してもらえるだけでなく、診療費も通常よりもかなり安い「公務員価格」が適用されるということだった。

それ以外にも、民間企業では出ないことも多い交通費、高温費（気温が高い時期に支給）、低温費（気温がとくに低い時期に支給）、保密費（機密内容が多い部署に勤務するときに支給）など、何かにつけて手当が出る。ほかに５月１日の労働節のときに現金、９月～10月の中秋節のときに月餅券、年末にボーナスも支給される。住宅を購入するときにも公務員であれば優遇される。

退職後にもらえる年金については第３章で紹介するが、公務員として定年まで勤め上げれば、年金だけで十分に生活することが可能だ。

また、目に見える手当ではないが、昼休みは午前11時半～午後１時半までの２時間もらえる。他の機関の中には「昼休みは２時間半。午後５時か、遅くとも５時半には退勤」というところもあり、昼休みには好きなことができる。

本格的にぐっすり昼寝をしている人や、他社の友人と外出する人、車で自宅にいったん帰って２時間たっぷりと休憩する人もいるそうだ。

何より驚いたのは、友人へのインタビューは、本人の希望で、平日の昼休み時間を利用して電話で行ったのだが、昼休みが終わっても友人は気にすることなく、それからさらに長い時間、オフィスのデスクでおしゃべりを続けていたことだった。

もちろん、部署によって異なり、公務員といっても楽でひまな仕事ばかりではないだろうが、前述の大学准教授は「今の中国では、どの民間企業であっても、一生涯在籍できると断言できるところは一つもなく、会社員のプレッシャーはとても大きい。日本には『ながら残業』があると聞きますが、中国人の残業は『リアル残業』です。公務員はお金持ちではないけれど、今の中国では、最も堅実で安定した仕事といえるでしょう」といっていた。

不動産に対する「常識」が変わりつつある

ここまで中国人が「お金持ち」になった背景について紹介してきた。

多くの日本人にとって、中国や中国人に対するイメージは、まだ貧しかった時点で時計の針が止まったままだと思うが、彼らは急激な経済成長を追い風にして、いつの間にか所得を増やしていた。

その基礎となっているのは、まぎれもなく不動産であり、不動産の信じられないほどの値上がりぶりだが、皮肉なことに、近年は不動産価格があまりにも高騰しすぎているために、それを購入することができない層がじわじわと増えている。

何かを「消費する」ことによって価値観やライフスタイルが変わることがあるが、不動産に関しては「もう高すぎて購入できない」という「消費しない」ところから、新しい価値観やライフスタイルが生まれようとしている。

まだ明確な形では表面化していないが、ここ10年ほど、中国人の間に定着していた「若いうちに不動産を買うのが当たり前だ」という常識や共通認識といったものは少しずつ変わってきている。

第2章では、そんな不動産購入や不動産賃貸を巡る新しい傾向や、彼らの不動産に対する思いを紹介したい。

第2章

不動産なんてもう要らない

「不動産を買うつもりはありません」

第1章で、中国人にとっての不動産は日本人と違って「投資」の対象であり、財テクの「道具」やステップアップの「踏み台」であると書いた。

不動産さえ持っていれば、その価格がどんどん上がっていき、あくせく働かなくても、十分に家計を支えていくことができる。この20年、都市部ではそのように考えて「不動産頼り」で生活していた人が多かった。

だが、それはもともと北京市や上海市などの大都市で生まれ育ち、安い社宅を払い下げられるチャンスをモノにできた人々に限られる。

第1章に書いた通り、都市部住民世帯の住宅保有率は96％に及ぶ。このことからも、都市部で生まれ育った人々は、中国でいかに恵まれた存在であるかがわかる。

しかし、現在は都市部に住んでいても、都市部生まれではない人々の中には「不動産を買うことはもう諦めた」、「不動産なんてもう要らない」と考えている人が増えている。

中国人は不動産に対して強いこだわりがあり、日本など海外に行ってまで不動産を買い漁《あさ》ろうとする——。

日本人の中にはそうしたイメージを持っている人がいると思うし、それは事実だが、昨今はさまざまな事情により、必ずしも不動産に夢中になる人ばかりではなくなってきている。これは中国人の消費にも大きな影響を及ぼし、生き方の転換にもつながる大問題だ。

私は、不動産を購入する予定はないという30代前半の女性、李越氏（仮名）に話を聞くことができた。

李氏は東北部の吉林省出身だ。現在、夫と幼い子ども、田舎から出てきた両親と5人で、上海市内で暮らしている。

住居は広さ90平方メートルの2ＬＤＫの賃貸マンション。90平方メートルというと、日本の住宅事情で考えるとかなり広いほうだと思うが、中国では普通サイズだ。中国のマンションは通路などの共用部分やベランダなども面積に含めるため、実際に使用できるのは、この7～8割くらいだといわれている。

李氏がこの賃貸マンションに引っ越してきたのは２０１７年。その1年前に結婚し、子どもを産むことを考えて、以前よりも広いマンションを探していた。

家賃は５５００元（約8万２５００円）。上海市の中心部からそれほど遠くない割には安いほうだ。

夫は彼女と同じく30代前半で、オフィスや施設の照明を設置するビジネスを行っている自営業者だ。河南省出身で、上海に出てきたころは職を転々として苦労したが、数年前に照明の仕事に就いて以降、ビジネスが軌道に乗り、結婚するころには100万元以上（約1500万円以上）の貯金ができるほど成功した。

李氏は飲食関係の企業で働いており、月給は手取りで8000元（約12万円）。幼い子どもの世話は父母に手伝ってもらっている。

私は以前から彼女と友人関係だったので、結婚や出産、家族旅行などの写真をいつもSNSで見ていて、その明るくフレンドリーな性格に親しみを感じていた。

家計の中で大きな比重を占める不動産について「購入計画はあるのか」と聞いてみると、「うちは家を買うつもりは全然ありません」という、きっぱりとした答えが返ってきた。

中国では、結婚するときに不動産を購入するのが「当たり前」のようになっているが、なぜ結婚して数年経った今も買うつもりはないのだろうか。

「もし不動産を買ったら、毎月住宅ローンの返済をしていかなければならないですよね。うちの夫は自営業ですから、ビジネスには浮き沈みがあります。この先、どんなことが起こるかわかりません。住宅ローンの返済に縛られて、完済するまで何十年も息を殺して、我慢して節約生活を送るよりも、できるだけ今を楽しみたいと思ったのです。

幸い、今のところは貯金もあり、私にも定期的な収入があるので、生活には困りません。これから子どもが大きくなれば教育費にお金がかかりますし、２人とも地方の出身なので、この先ずっと上海に住むかどうかもわからない。何も決めていません。だから、今はこのままでいいと思っているんです」

中国人は現金を信用していない

李氏のような考え方は、日本人には理解しやすい。

まだ30代前半なのだし、今すぐ不動産を購入しなくてもいいだろう、と思う日本人も多い。日本人の中には、持ち家にこだわらない人もいる。

だが、中国では、このような考え方はまだ少数派だ。ただ、じわじわと「賃貸派」が増えてきていることは確かである。

中国人が自由に不動産を買えるようになって二十数年経ったが、このような考え方は、これまでの中国人にはなかった傾向だ。

第１章でも紹介した通り、中国の不動産価格は異常なまでに値上がりしている。北京市や上海市などでは「億ション」になりつつあり、普通の会社員が、ごく普通に働いていたのでは、手の届く価格ではなくなっている。

それなのに、なぜ家計を圧迫する不動産購入を「当たり前」だと思い、若いうちから必死になって働いて、不動産を購入しようとする人が多いのか。

数年前には「房奴《ファンヌー》」（不動産の奴隷）という流行語も生まれた。

上海に住むある友人はこういう。

「中国人は基本的に〝現金〟を信用していません。いつ動乱が起きて、紙幣がただの紙切れになってしまうかわからないからです。だから、不動産とか株、宝石、金（ゴールド）など、現金以外の価値が変わらない資産を持って、それでリスクヘッジしようとしているのです。長い間歴史に翻弄されてきた中国人にはそういう考え方が染みついているのではないでしょうか」

それに加えて、前述したように、中国での不動産市場の歴史は浅い。１９９０年代になって初めて自分の不動産を持てるようになった中国人は、「モノを所有する」ことに対して、強いこだわりを持つようになった。

とくに現在の40代以上で、まだ「モノを持てなかった貧しい時代」に生まれていた世代にはその傾向がある。そのことも不動産の購入熱につながっているのではないかと思われる。

余談だが、不動産の価値がほとんど上がらない日本に住む中国人も、不動産購入には非常に熱心だ。とくに20代の若者にその傾向が強い。日本企業に就職して3年くらい経ったら、住宅ローンを組んで不動産の購入に踏み切ろうとする人が多い。

知人の中国人男性は有名企業に就職してまだ5年。年齢は30歳だが、入社3年目に結婚した後、都内の建売りの一戸建てをローンで購入すると同時に、アパートも購入し「大家さん」になった。日本で不動産を購入したことは、中国に住む両親を安心させる「親孝行」であり、一族にとってはリスクヘッジでもある。

結婚するときは不動産を買うときだったが……

中国人が最初に不動産を購入するきっかけは、結婚するときだ。

中国には「有車有房《ヨーチャーヨーファン》」という言葉がある。「クルマも家もある」という意味で、これが結婚の条件とされていた。

といっても、この言葉も1990年代になってから生まれたもので、以前は中国人の誰もが、クルマも家も、何も持っていなかったことは、第1章で述べた通りだ。

この30年間で、中国人の生活は劇的に変貌したのだ。
30年前は、北京市なら北京市民同士、上海市なら上海市民同士で結婚することが一般的で、しかも、お互いの家庭（家柄）の釣り合いが取れていることが好ましいとされた。

中国は広いので、出身地が異なれば、まず言語が異なる。食の好みや生活習慣もかなり違うし、金銭感覚や生活様式も異なるので、もし、違う出身地の人と結婚したとしても、だんだんうまくいかなくなって苦労する。双方の両親も理解し合えず、幸せにはなれない、という考え方があった。そもそも、遠方の人と知り合う機会も少なかった。

だが、90年代以降は、進学やビジネスで省を跨《また》いで活動する人が多くなり、同郷の人以外との結婚も自然と進んでいった。生まれ育った家庭環境よりも、経済力の有無が結婚の際にモノをいうようになり、そこで「有車有房」の人、つまり経済力のある男性が結婚相手の条件となった。

だから、女性が結婚したいと思うような理想的な男性は、すでにマンションを持っているか、あるいはこれからマンションを持てる経済的余裕がある人ということになったのだ。

２０１７年に出版した拙著『なぜ中国人は財布を持たないのか』にも書いたが、中国の都市部には、結婚できない（または、結婚する意思のない）息子や娘のことを心配して、両親が

“代理婚活”をする場所がある。

週末に大きな公園を使って定期的に行われているもので、公園内の広いスペースに、親たちが自分の子どもの「履歴書（釣り書き）」を持って、三々五々集まってくるのだ。

私はかなり以前からこのことを知っていたが、ＳＮＳが発達して、そのようなアナログの集いは減少しただろうと思い込んでいた。ところが、２０１９年に北京市を訪れたとき、まだ行われていて、逆に驚いた。

公園の地面にズラリと並べられた手書きの吊り書きには、学歴や身長、職業、収入が書かれているが、そこに「マンションを持っています」という一文がわざわざ書き添えられることも多い。

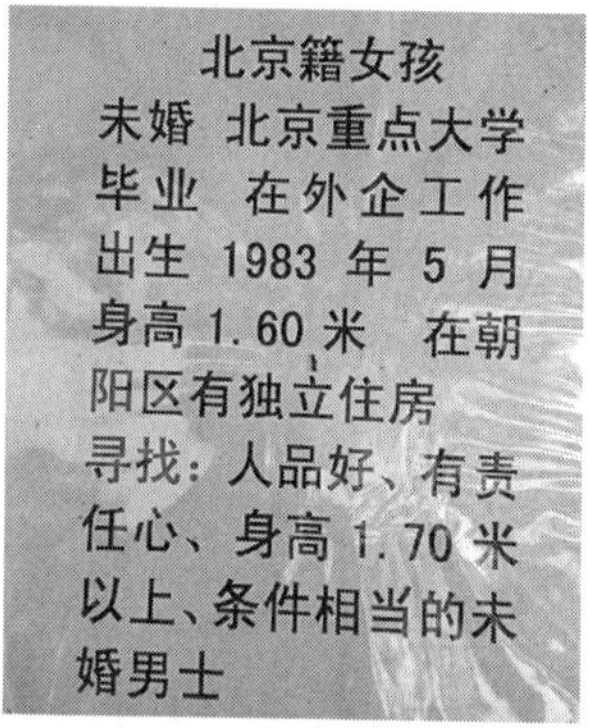
北京籍女孩
未婚 北京重点大学
毕业 在外企工作
出生 1983 年 5 月
身高 1.60 米 在朝
阳区有独立住房
寻找：人品好、有责
任心、身高 1.70 米
以上、条件相当的未
婚男士
代理婚活の吊り書き。通常は男性側がマンションを持っていることをアピールするが、これは女性側が書いたもの

「結婚相手として、自分は十分な条件を整えています（そして、経済力もあります）」という強力な自己アピールだ。

日本的な考え方なら、その点は最大のアピールポイントというわけではないし、必ずしも男性側が100％購入資金を出さなければならない、というわけではないだろう。だが、中国では男性側が全額出すことを当然だ、と本人たちも周囲も考えている。

日本でも報道されているが、中国では1979年から2015年まで続いた一人っ子政策の弊害により、女性よりも男性の人口が多く、男女比がアンバランスになっている。子どもを1人しか産めないのであれば、男の子を望んだため、男性が余ってしまったのだ。

現在、20〜45歳の男性は同年代の女性よりも3000万人も多いといわれている。

そのこともあり、余計に男性は結婚の際にマンションを購入しなければならない（マンションを持っていなければ、結婚してもらえない）という強迫観念にかられるようになっている。

住宅の積立金が給料から天引きされる

一般の会社員が不動産を購入しようとする場合、その資金はどこから捻出《ねんしゅつ》するのか。

主に①住房公積金、②貯金、③父母からの支援、のうちの一つか二つ、またはこれらすべてで賄われている、と思っていい。

住房公積金とは、給料から強制的に天引きされる住宅積立金のことで、給与明細にも明記されている。天引きされた金額と同額を企業が補助し、その合算金額を個人の「住房公積金」の口座にプールしておき、住宅を購入する際に引き出すことができるという、中国独特の制度だ。

低金利の住宅ローンを受けるための判断基準として使われている。

日本でも不動産を買うときに父母からの金銭的支援がある人はいるだろうが、中国ではこれが相当多いと思われる。公的データがないので正確にはわからないが、第4章で紹介する30歳の男性のように「親がマンションをプレゼントしてくれた」という話はかなり頻繁に耳にする。

住宅ローンを組む場合も、親が頭金だけは出してくれる、というケースは非常に多い。一般的に中国の住宅ローンの頭金は住宅価格の30〜35％程度といわれており、日本と比べるとかなり高く設定されている。

その理由は「住宅価格を抑制するための措置。地域によって異なりますが、90平方メートル以下の面積の場合は基本的に20％、投資用の住宅の場合は50〜70％に設定するところもあります」（ニッセイ基礎研究所の胡氏）という。

購入の手順は基本的に日本と同じで、不動産会社のポータルサイトや不動産店などで情報を入手するところから始まる。物件の概要を比較検討してから不動産会社に依頼し、物件の見学、契約手続きに進むという流れになっている。

平等に不動産を買うことができない

しかし、男性側が不動産を買わずに結婚したカップルもいる。妻側が結婚の条件として不動産を求めなかったのか、あるいは、どちらも不動産を購入しなくていい、という考えで意見が一致していたのかどうかはケース・バイ・ケースでわからないが、「必ず不動産を買わなければならない」という風潮が少しずつ変化してきていることは確かだ。

また、北京市や上海市などでは、もともと不動産を購入できない人が存在する。それは農村戸籍を持つ人々だ。中国には都市戸籍と農村戸籍の2種類ある。その割合は大まかに都市4割、農村6割といわれているが、都市部には農村からの出稼ぎ労働者や、他省からやってきた人々が常に流動人口として存在している。

北京市や上海市などの大都市で生まれ育った人は、都市戸籍を持っていて何も問題がないが、農村戸籍の人が仕事などのために大都市に移動して生活する場合は、都市戸籍保持者とすべてにおいて平等ではない。

とくに不動産購入については「縛り」がある。その都市の出身者以外が都市で不動産を購入したい場合、（都市によって異なるが）、たとえばその都市の居住期間が3年以上、5年間の納税実績があることなど、いくつもの条件があり、それらをクリアしなければ、購入のスタートラインにすら立てない、という不公平な制度になっている。とくに独身者の場合には厳しいといわれている。

現在、一部の都市（たとえば上海市に隣接する江蘇省太倉《たいそう》市など）では、もともとの住民でなくても、条件が整えば比較的安易に不動産を購入できるようになってきており、都市によって異なる。だが、北京市や上海市などの大都市の都市戸籍を取得するには依然として厳しい条件が課されている。

なぜなら大都市は、公的費用負担の面などから定住人口をこれ以上増やしたくないこと、不動産価格を抑制したいこと、本来の住民（都市戸籍保持者）を優遇したいこと、などがあるからだ。

このような理由から、自分が大都市の出身者でない場合、最初から大都市での不動産購入は諦めている、という人が少なくない。

本章の冒頭に出てきた李氏夫婦も地方出身だし、第1章に登場した河南省出身の趙氏なども、そうした人々だ。李氏夫婦は私には戸籍の事情があることを話さなかったが、おそらく戸籍問題があって購入は難しい、ということが最初から念頭にあったため、「不動産を買うつもりはない」という気持ちにつながっていったのではないか、と想像する。

賃貸物件はそもそも少ない

そのため、もし不動産取得が難しいのであれば、「別にずっと賃貸暮らしでもいいんじゃないか」、あるいは「しばらくの間は賃貸に住もう」と考えるのは、ごく自然なことだ。

だが、第1章で取材したニッセイ基礎研究所の胡笳氏の話から、中国（とくに北京市や上海市などの大都市）の不動産市場は、これまで述べてきたような経緯があるため、基本的に賃貸専用の物件が少ない、ということを私は知った。

日本の不動産市場は、おおまかに分けると、賃貸と分譲（新築と中古）の2種類ある。街の不動産店を覗いても、不動産サイトを見ても、どちらも存在している。

中国も現在は形式的にはそうなっているのだが、基本的に都市部出身者は「単位」から住宅を払い下げられたところからスタートしていて、「すでに不動産を持っている」のが前提なので、「不動産を賃貸する」というシチュエーションが、そもそもあまり存在しなかったためだ。

不動産を賃貸する人々といえば、他省などからやってきた外来者で、自分の家がもともとない人々に限られていた。そのため、賃貸向け市場はこれまであまり発達してこなかった。

現在、上海でマンションを借りている友人などに話を聞くと、街の不動産店や不動産サイトを運営する不動産会社があり、若者は不動産アプリで実際の物件を簡単にチェックできるようになっているという。

とはいえ、日本のように単身者用ならワンルームや1DK、2人用なら2DKや2LDKというように、タイプ別のあらゆる賃貸物件がしっかりと整備されているわけではない。日本では2階建て、3階建てなどの単身者用マンションやアパートを住宅地でよく見かけるが、中国にはそうした物件はない。

いくつか不動産を所有している人が、自分の物件（たとえば3LDK）を「賃貸用」として不動産市場に出しているため、単身の会社員などは、その3LDKのうちの1室を借りる（リビングは共用）という形態が多かった。不動産会社を通さずに、知人のツテなどを辿って、所有者と直接交渉して借りるというケースもまだかなり存在する。

第1章に登場した河南省出身の趙氏が住んでいたシェアハウスはそうした物件だ。

同じく第1章に登場したエンターテインメント系企業に勤務する黄氏のように、1人でワンルームマンションを賃借することも可能だが、そうした物件は数が少ない上に、賃料が割高となる。1人で北京市や上海市などの都心部のマンションを賃借するなら、5000元（約7万5000円）以上はかかると考えなければならない。

給料が1万元（約15万円）の人にとって、その半額の5000元ほどかかるワンルームマンションは賃料が高すぎるため、1人暮らしの人は必然的にもっと賃料が安いシェアハウスを選ばざるを得なかった。

ここが日本の不動産市場とは大きく異なる点だ。

日本では、シェアハウスと聞くと、新しい不動産形態で、ちょっとカッコいいイメージを持つ人がいるかもしれないが、中国ではいいイメージはない。

2009年ごろ、日本で「蟻族《イーズー》」と表現される中国の若者の問題が報道されたことがあった。

「蟻族」とは地方から都市部の大学に進学したが、都市部で就職できず、低賃金の非正規労働者として働き、安アパートの部屋を友人とシェアして暮らしていた人々のことだ。蟻のようにかたまって暮らしていたことから、こう呼ばれた。

蟻族とは異なるが、地方から出稼ぎのために都市部にやってきた労働者の場合は、雇用主が借りてくれたシェアハウスに共同で住んでいる。

上海市内で数店舗を展開している飲食店のオーナーは50人ほどの店員を雇用しているが、彼らは雇用主が借り切った同じ棟の数軒のマンションに、数人ずつ分かれて住んでいる。場所は飲食店から徒歩圏内で行けるところにある。

このオーナーは「1人当たり毎月500元（約7500円）ずつ、家賃の一部として支払ってもらっていますが、大部分は会社持ちです。福利厚生の一環であることと、店員は地方からの出稼ぎ労働者で、給料は5000～7000元（約7万5000～約10万5000円）程度なので、会社が負担するしかないのです」と話していた。

余談だが、都市部の飲食店や清掃業などで働くブルーカラーの人々は、このように住居を用意してもらっていることが多い。勤務は2交代制などで、1日2回の食事は職場で「賄い」が提供されるため、食費もほとんどかからない。

家計で最も高い比重を占める住居費と食費がタダ同然であるため、月収5000元でも、お金はかなり手元に残る計算になる。

同オーナーは「大卒のホワイトカラーよりもむしろ、彼らのようなブルーカラーのほうが可処分所得は多いのです。昔と違って、最近では故郷に仕送りする人も減ってきたので、お金はかなり手元に残ります。病気にさえならなければ、けっこう貯金もできるのでは……」と話していた。

単身者向け物件が増えたが……

このように、賃貸用の不動産市場がこれまであまり育たなかった中国だが、ここ数年は賃貸用が増えているなど、変化の兆しがある。

背景には、政府が2016年以降、都市部で暮らす若者たちのため、賃貸物件の供給を拡大する政策を打ち出しているからだ。

統計などのデータにはまだ表れていないが、前述の胡笳氏は「中国の大手ポータルサイトの報告によると、2019年は賃料が低下し、供給量が多くなってきたようです」という。

李氏夫婦のように賃貸に対する抵抗のない人々が増えるなど意識の変化に加え、ビジネスの活発化で、かつてはなかった単身者の転勤族が増えていること、都市部への流入人口が増えていること、などの要因があると思われる。

賃貸物件の中には「長租公寓《チャンズーゴンユー》」（長期賃貸住宅）とも呼ばれているものもある。これは「ホワイトカラー住宅」とも呼ばれているもので、家電や家具もセットになっている賃貸住宅だ。90后の若者などを中心に人気がある。

２０１５年ごろから急速に始まったのが「租金貸《ズージンダイ》」と呼ばれる仕組みだ。新興の仲介業者が不動産所有者から部屋を借り上げ、部屋の内装を整えて入居希望者に転貸することをいう。

特徴は、入居者が毎月の家賃だけでなく、銀行と最低でも数ヵ月以上のローンを組まなければならないことだ。仲介業者は各部屋のドアに鍵をつけ、空調設備などを整備する改修費用を負担するが、銀行からの借入額には限度がある。そこで入居者自身に銀行ローンを組ませて、業者が事前に資金を得るという方法を編み出した。

日本経済新聞（２０２０年7月10日付）の報道には、深圳市のある物件について、こう書いてある。

「個人専用のシャワーとトイレを備えた広さ15平方メートル。家賃は３４４４元（約5万２０００円）で、３ヵ月ごとに同期間分を支払わなければならない。だが、『租金貸』を利用すれば月額２０００円以上安くなり、支払いも1ヵ月ごとで済む。深圳の大卒者の初任給は６０００元（約9万円）程度で、家賃を抑えたい若者には魅力的だ」（要約）

だが、2020年1月下旬より急激に感染が拡大した新型コロナの影響により、この仕組みは行き詰まってしまった。

企業に勤める若者の収入が減少し、支払いが滞ったことや、その結果、不動産所有者から退去命令が出たことなどが要因だ。新型コロナの影響で賃貸の不動産市場は急速に冷え込んでいるが、この先、単身者はますます増える傾向にあり、新型コロナが落ち着けば、そうした人々向けの賃貸物件が再び必要になってくると考えられる。

主な家計債務は住宅ローン

本章では、これまで中国人なら「買うのが当たり前」だった不動産市場が少しずつ変わってきており、「不動産を持たない」という選択をする人々が徐々に増えてきたという、まったく新しい傾向を紹介した。

もともとのきっかけは不動産価格が高騰しすぎたという物理的な事情だったが、単身者（とくに若者）のライフスタイルが変化してきて、転勤や故郷にUターンする可能性などもあることから、固定の資産にこだわらなくなってきた、ということも挙げられる。

また、もし不動産を持てば、ローンを抱えなければならないというプレッシャーがのしかかることもあるだろう。

中国人の家計債務の中で住宅債務（住宅ローン）は一体どのくらいあるのだろうか。第1章で述べた通り、中国人の総資産は実物資産と金融資産に分かれるが、実物資産の多くは住宅だった。

中央大学教授で中国の家計債務問題に詳しい唐成氏は、中国・西南財経大学・中国家計金融調査研究センター（ＣＨＦＳ）の全国規模の家計調査のデータを使って、家計状況を調べた。対象は２０１５〜２０１７年で、同一の２万４６８９世帯。そこで唐氏は興味深いデータが得られたという。

「中国人がお金を借りる目的は主に三つです。一つ目は住宅を購入するために借り入れる住宅債務、二つ目は自営業者が会社などを回すために借りる経営債務、そして三つ目は日常的な消費に当てる消費債務です。

負債を持っている世帯の割合は２０１５年の27・93％から２０１７年の27・82％へと少しだけ減りましたが、債務残高は逆に1世帯当たり3万２７１６元から4万５０４元へと大幅に増えています。中でも最も増えているのが住宅債務です」

唐氏によると、ＣＨＦＳが行った別の調査では、２０１７年の時点で、資産に対する負債の比率が最も高い地域は内陸部の重慶市で、ローンを組んでいる家庭の比率で見ても、内陸部は43・9％と、沿海部の39％を上回っていたという。

つまり、住宅ローンを組んで不動産を購入する人が、沿海部だけでなく内陸部にも広がっていることを示している。

また、中国の不動産市場が拡大し、不動産価格が上昇する中、「住宅債務は家計にとって資産の拡大につながっている」とも指摘する。

「資産が大きくなることは、借入の能力を高めることにもなります。住宅債務の6割以上は持ち家が2軒以上の家計で、この傾向は強まっています」

不動産価格が常に上昇しているうちは、住宅債務は自分の資産を膨らませることになる、ということだ。

西南財経大学・中国家計金融調査研究センターとアントフィナンシャルサービスグループ研究院は2019年10月、共同で「中国家計（個人）調査―中国の住民の負債比率と個人の消費者金融をめぐる問題の研究」というレポートを発表した。

中国メディア「人民網」によると、このレポートには「負債の6割は住宅ローンに集中している」との指摘があるという。唐氏の分析と同様、「複数の住宅を購入することにより、抱えている住宅ローンの割合が年々高まっている」ことがわかった。

第1章で30代の男性が話していたように、中国では、自分が住む不動産を手に入れるだけでなく、少しでも経済的に余裕があるならば、２軒目の不動産も購入しようとする人が多いし、不動産＝資産という認識がまだ強い。

そのために借り入れをしているということが、数字上にも表れている。

不動産を持てば持つほど債務も増えていくことになるが、それもまた、まだ大多数の中国人にとっては、パワーの源泉となっているのだ。

第3章

子どもの教育費と老親の介護、年金

塾代が年間90万円

「我が家の場合、家計のうち、子どもの教育費が占める割合は4分の1から5分の1くらいでしょうか。とにかく今、子どもたちの教育にお金がかかるときですが、子どもの将来のためですので、やむを得ないと思っています」

2020年夏、以前知り合った中国人女性、孫芳氏（仮名）のことを思い出した。彼女は広東省広州市在住で、確か2人の娘がいたはずだ。

久しぶりに連絡を取ってみたところ、孫氏は以前から勤めていた日系企業の総経理（現地法人の社長）に昇進しており、現在40代前半。若いころからバリバリ仕事ができると評判だったが、あっという間に出世していた。

孫氏は会社経営する夫と2人の娘（長女が13歳、次女が6歳）の4人暮らしだ。長女は2020年9月から中学2年生、次女は小学1年生になった。

孫氏の年収は約70万元（約1000万円）。夫の収入を聞くことはできなかったが、孫氏より多いと仮定すると一家の年収は日本円で2000万円以上になるだろう。

富裕層の部類に入るかと思ったが、本人は「今の中国では、うちは普通の部類。富裕層といえば年収で2000万～3000万元（約3億～約4億5000万円）以上の人のことを指すと思いますよ」といわれてしまった。

孫氏はこれまで子どもの教育費にいくらかかっているかなど、具体的な金額をはっきりと覚えており、私に教えてくれた。

中学2年生の長女は広州市内の私立中学校に通っている。以前、中国の学校はほとんど国立だったが、十数年くらい前から少しずつ私立学校が増えてきた。当初はレベルがまちまちだったが、近年では欧米の教育理念に基づく学校など、さまざまな教育家が資本を出して設立したハイレベルな私立学校が急速に増えている。

国立の学校は学区制を取っていて、居住区によってはいい学校に入れない場合もある。いい学校とは「重点学校」といわれ、優秀な教員が配置されたり、施設が充実している学校のことだ。

かなり以前から、そのような重点学校がある居住区に引っ越す人が増え、そこの不動産（中国語で学区房《シユエチーファン》という）価格が上昇するという現象が起きて社会問題になった。

そうしたこともあり、近年では居住区に関係なく、教育理念やレベルなどで自由に選べる私立の小学受験、中学受験をすることが増えている。

長女が通っているのは広州市内では上位に入るという有名な中学校。学費は年間で約5万元（約75万円）だというから、日本の私立よりもやや安い。

ただ、孫氏によると「私立の中では真ん中くらいの学費。最も高いところは年間16万元（約240万円）もかかります」というから驚きだ。

長女は入学後、寄宿舎で生活し、自宅に帰ってくるのは週末だけだ。中国の全寮制の学校はたいていそうだが、金曜日の夕方自宅に帰り、日曜日の夜にまた寄宿舎に戻っていく。これは一部の私立学校だけでなく、農村部など学校が自宅から遠い場合もよくあり、中国では寄宿舎生活を送っている子どもは少なくない。

孫氏も都市部に住むほとんどの中国人ママと同様、子どもの教育に非常に熱心だ。いわゆる中学受験に向けて、学校以外で本格的に学習を始めたのは長女が小学4年のころ。語文（中国語）、英語、算数の3科目をそれぞれ週1回、2時間ずつ学習塾に通わせた。3科目の合計の塾代は1学期で約3万元（約45万円）。年間で計算すると6万元（約90万円）になるから、学費よりも高い。

中国の大手学習塾チェーンとして知られる「学而思《シユエアースー》」などは1クラス20～30人程度で学費ももっと安いが、「少人数制で、よりよい先生にしっかり見てほしいと思って」別の学習塾を選んだ。長女が通う学習塾の先生は、広州の名門として知られる中山大学や華南理工大学を卒業した経歴があり、指導力にも定評があると評判だった。

新型コロナ禍での夏休みはオンラインで行う単発の授業にも申し込んだ。1日2時間、12日間の集中コースで、授業料は約6700元（約10万円）。先生1人、生徒2人という形態で、1回当たりは561元（約8400円）。

中国でも春節後から5月ごろまでオンライン授業を行う学校が多かった。政府の教育部（日本の文部科学省に相当）は「停課不停学《ティンクープーティンシュエ》」（休校しても学習は止めるな）というスローガンを掲げ、オンライン授業を推進した。

IT化が日本よりも進んでいる中国の都市部の子どもたちにとって、タブレット端末やパソコンを使い、学校や学習塾の授業を自宅で受けることに抵抗はあまりない。孫氏の子どもたちも同様だったが、それでも孫氏によると「やはり面と向かって先生と話をするわけではないので、春先は成績が落ちるのではないかと心配でした」と話していた。

オンライン授業への切り替えが速かった中国でも、オンラインだけで教育することの難しさを感じていた人は多かったようだ。

2020年3月末までに中国のオンライン教育（大人を含む）の利用者は約4億人に上り、

SNSに流れてくるオンライン授業の広告

全ネット利用者の半数近くを占めている。

　私が見ているウィーチャットでも、春先からオンライン授業の広告がさかんに流れ始めた。ある動画の広告は、娘が母親に「お母さん、私オンライン授業を受けてみたい。いいでしょう?」と話しかけ、母親も喜ぶという内容だった。

　その広告をクリックし、スクロールしていくと「お試し授業の申し込み」という画面が出てきて、そのまま必要事項を書き込めるようになっている。日常的にSNSをチェックする中国人が多く、その延長線上に流れるネット広告で、簡単に申し込みができるように工夫されている。

子どもの送迎のために2台目のクルマを買う

新型コロナがほぼ収束した、2020年後半はどうだったのか。北京市内に住む専業主婦の女性、馬潔氏に聞いてみた。

馬氏には2018年に北京のカフェでインタビューしたことがあった。取材時には、2人の息子は中学1年生と小学4年生。馬氏は2人の息子の送迎のために忙しいといっており、「午後3時半には次男が通う小学校の校門前に車で出迎えに行っている」と話していた。

電話口に出た馬氏は今も忙しそうだった。

「下の息子はこの秋（2020年9月）、無事に中学に入学しました。小6の最後のほうは塾もオンラインだけになったので送迎はしなくて済んだのですが、その代わり、息子のパソコンの隣に座って、私も一緒に内容を確認していたので、かなり疲れましたね。今は再び塾の送り迎えをしています。一部の授業はまだオンラインのものもありますが、やはり塾に行くほうがモチベーションは高く保てるようです」

オンライン授業ならば親が送迎をしなくて済むが、通常の授業ならば、やはり送迎は必要になってくる。中国では都市部でも地方でも、子どもの誘拐事件が珍しくなく、家族など保護者が送迎を担当するのが当たり前になっているからだ。

新型コロナが発生する以前、夕方3~4時ごろに中国の小中学校（ときには高校も）の正門前に行ってみると、大勢の保護者が出迎えのために校門の前に立っている。

初めて見たときには「一体何だろう?」と不思議に思ったものだが、ここでは「日常的な風景」だ。

学校によって異なるが、校門の前には規制線のようなロープが張られている場合があり、その外側に保護者がいるのだが、立っているのはたいてい祖父母か家政婦だ。たまに馬氏のような母親がいることもあるが、中国では夫婦共働きが多いため、母親が迎えに出ることは少ない。

それ以外に立っているのは塾から派遣されてきたアルバイト。学校から自宅に帰らず、そのまま塾に連れていくためだ。私は取材のために何度も下校時間に合わせて複数の学校に行ってみたことがあるが、アルバイトは自分の担当する子どもの姿を見かけると、すかさず駆け寄って声を掛け、一緒にクルマに乗り込んでいた。

馬氏は「学校だけでなく塾の送迎もあるので、自分のクルマ1台だけでは足りない。2人の塾の場所や時間帯が違うからです。夫はこれまで会社のクルマを使っていたのですが、上の息子が中学に入るときにもう1台、自宅用のクルマを買いました」と以前話していた。中国の自動車保有台数は2019年末までに約2億6000万台。人口の20％ほどしか持っておらず、そう簡単に買えるものではないが、それも子どものためだ。

馬氏の言葉を裏づけるように、校門の近くには毎日夕方になるとズラリとクルマが縦列駐車していた。

地下鉄で送迎する保護者のほうが数としては多いのだが、子どもの教育のためならば、クルマも買わなければならない、と考えている人は少なくない。有名校ともなれば「やっぱり〝外車〟で子どもを迎えたい」と見栄を張る親もいるそうだ。

習い事をするのも受験のため

中国では、子どもに一流の教育を受けさせようと思ったら、とにかくお金がかかる。むろん、義務教育に関して、国立の小中学校に通うだけならお金はほとんどかからないのだが、私立の学校や塾に通うとなると、相当な教育費を捻出しなければならない。

15年ほど前までは学習塾もなく、放課後に学校に残り、ときには夜遅くまで学校で勉強するだけでお金はかからないのが普通だったが、受験競争が激しくなり、受験ビジネスが生まれてからは、保護者が殺到するようになった。

本章の冒頭で紹介した孫氏の家庭では、家計に占める教育費の割合は4分の1から5分の1と話していたが、2017年に北京大学中国教育財政科学研究所が実施した調査によると、家計に占める教育負担率は、小学生の場合は10・4%、中学生では15・2%、高校生では26・7%と段階的に上がっている。

しかし、大変なのは学習塾代だけではない。習い事や教育的な行事（国内外への研修旅行）への参加費用がばかにならないのだ。

孫氏の長女は小学校時代、ダンスとピアノを5年間、書道を3年間ほど習っていた。中学に入った後は勉強が忙しくなってやめてしまったが、習い事の費用はダンスとピアノの二つ合わせて年間で3万元（約45万円）もかかった。

校門前で保護者に交じって立っていた私は、業者が配る習い事のパンフレットをたくさん受け取ったが、水泳、篆刻《てんこく》、絵画、英語、数学、バイオリン、チェロ、声楽、バレエ、ダンス、テコンドーなど、かなり多岐に渡っていた。

料金はそれぞれ異なるが、中には最大で1週間に6日、6種類以上の習い事をしているという子どももいると聞いた。

孫氏によると「ただ習わせるだけでもお金はかかりますが、それだけでなく、芸術やスポーツの場合、１年に数回、発表会や練習試合などがあるので、その費用は別途、支払わなければならないのです」という。ピアノやバイオリンの発表会なら、豪華なドレスを作ることも最近の流行だ。

数年前、取材で北京の高校を訪問したとき、たまたま入試の日にぶつかったことがある。通常、入試日は外部からの訪問者は校内に立ち入ることができないが、その日は芸術科目のみの受験日で、すでに試験時間が終わるころだったので入ることができた。その際、バイオリンを持ち、ドレスで校内を歩いている学生を何人も見かけた。

音楽大学の付属高校などではなく一般の高校だったが、芸術分野で優れている人は入試で優遇される。日本の一芸入試とは異なり、一般科目の試験もあるが、その高校の先生によると「中国では勉強以外に特技があると受験が有利に働きます。子どもの情操教育ではなく、受験のためにピアノやバイオリンを習わせる親も多いのです」という話だった。

さらにまとまったお金がかかるのが、夏休みや冬休みに実施される研修旅行だ。

中国の小中学校や高校には、日本にあるような修学旅行や林間学校は存在しない。日本では修学旅行や林間学校は、基本的に参加必須の行事だが、その代わり、各家庭に大きな負担はかからない。だが、中国では全員参加の修学旅行ではなく、個人参加の研修旅行がある。

北京市のある高校の教師はいう。

「新型コロナが発生する以前は、毎年夏休み期間中に、10日から2週間くらい、有料の海外研修旅行がありました。主催は学校で、行き先はアメリカやイギリスが多いですね。申し込みは自由で、希望者だけが参加するものですが、これに申し込むか申し込まないかで、各子どもの家庭の経済力が（子ども同士にも）わかってしまうところがあり、参加できない家庭の子どもは肩身が狭くてかわいそうでした」

学校によって異なるが、研修旅行の費用は3万〜4万元（約45万〜約60万円）と高額だ。これには航空券代や宿泊費、現地での英語レッスンや観光、食事などが含まれる。こうした学費以外の教育費もすべて家計に響いてくる。

私立の中学に通う子どもが家に1人いたら、ざっと見積もっても、年間の学費（約5万元）＋3科目の学習塾代（約6万元）＋研修旅行代（約3万元）として、合計14万元（約210万円）はかかると覚悟しておかなければならない。

余談だが、中国の私立学校では、国立の学校と異なり「全員参加」でこのような研修旅行を行っているところが多い。私立学校に入学する子どもの家庭は経済的なゆとりがあるという前提なのだろう。

そのような学校の中には距離的に近い日本を訪れ、学習以外に日本の林間学校のようなカリキュラムを実施するところもある。

日本の林間学校ではキャンプをして飯盒《はんごう》でご飯を炊いたり、アスレチックで木登りをしたり、自然観察などをしたりするが、中国では国立の小学校でもそのような行事はなく、勉強以外のことを子どもに体験させる機会が少ない。

日本に住み、日本の教育環境を知っている中国人からは「日本の子どもは校庭や公園を使って、子どもが思う存分運動することができるが、中国では子どもの数が多いのに校庭が狭く、遊ぶスペースが少ない。公園は老人や中高年に占拠されている。基礎的な運動があまりできないので、ひ弱な子どもが多いんです」という声も聞かれる。

ちなみに、日本では公立学校でも、ほぼすべての学校の設備として体育館、プール、図書館が設置されており、夏になれば体育の授業の一環として水泳がある。

これは日本では「当たり前のこと」だと思っている人が多いが、中国の国立の学校でプールがあるところはまだ少ない。体育館や図書館は徐々に設置が進んでいるが、内陸部などではそうした施設の設置が遅れているのが現状だ。学校によって教育の質はかなり差があるため、教育熱心な保護者たちはお金を使い、自分の子どもにできるだけよい教育を受けさせようとするのだ。

英語の義務教育は小1からスタート

この十数年の間に中国の教育界で大きく変化したことがある。

それは英語教育の充実だ。かつて、私が中国とかかわりを持ちだした80年代後半は、中国人で英語が話せる人は非常に少なかった。英語にしても、他の外国語にしても、流暢に話せるのは特別な教育を受けたごく一部のエリート（外国語大学の学生など）に限られていた。

もちろん、日本と同様、中学以上では英語の授業は行われていたが、「中国が英語教育を重視している」という印象はほとんどなかった。

ところが、近年は日本に興味を持ち、日本語をある程度学んでから日本に留学にやってくるような中国人でさえ、「今は日本語を勉強中ですが、英語のほうはネイティブレベルです」という人がいて驚かされる。

中国の英語教育について調べてみると、意外なことに、北京市や上海市などごく一部の小学校では、１９７８年から教育課程（小学3年生）に導入されていることがわかった。しかし、実際に幅広い地域で導入されるようになったのは、2000年代になってからだ。

きっかけとなったのは2008年に開催された北京オリンピック。2001年に開催が決定すると、北京の街並みは急ピッチで整備され始めた。タクシー運転手は最低限の英会話が必須となり、オリンピックのボランティアなどを行う一般市民の間にも英語学習の気運が一気に高まった。

この年、小学1年生から英語教育を義務化することも正式に決定した。これ以降、全国の小学校で本格的に英語教育がスタートした。

日本では2020年4月、小学5年生から英語教育の義務化がスタートしたので、中国とはスタートに19年もの差があることになる。開始年齢も中国は小1から、日本は小5からなので、ここでも4年の開きがある。

現在、中国の大学生たちは1998～2002年ごろに生まれた子どもが多いので、ちょうど彼らの年代から、小1で英語を学び始めたということになる。欧米ではなく日本に留学するような学生でも「英語はネイティブレベル」という背景には、このように中国政府がこの20年近くかけて整えてきた英語教育の環境がある。

関連して、この10年くらいの間、急速に増えている私立の英語幼稚園の存在も見逃せない。中国語と英語の2ヵ国語を使って教育するので、二つの言語という意味で「双語幼稚園」と呼ばれている。

上海で2歳の子どもを育てている女性に双語幼稚園に関心があるか、と聞いてみると、その女性はこう話した。

「確かに双語幼稚園はとても流行っていますし、魅力的です。保母さんたちは皆、大卒や大学院卒で、中国語と英語の両方できるそうです。アメリカ人やイギリス人のネイティブの先生がいる幼稚園もあるとか。初めて英語を学ぶとき、ネイティブの先生がいると本場の発音を身につけることができるのでいいですよね。

ただし、問題は学費。私の家に近い双語幼稚園だと、1ヵ月で5000元（約7万5000円）以上はかかるそうです。公立ならば数百元で済むので、うちの経済力では、幼稚園からそこまで高い費用をかけるかどうか、ちょっと迷っています」

小1から義務教育として英語を学び始めるといっても、その前段階で簡単な英語を身につけさせておくことが都市部では「当たり前」の時代になりつつあり、親たちは自分の子どもが取り残されないようにと必死になっている。

中国の高齢者は2億5000万人

子どもの教育費に多額のお金がかかる一方で、親の介護費も負担しなければならない時代に突入したのが今の中国だ。

中国の初婚の平均年齢は、上海市を例に取ると、２０１５年の時点で男性が30・３歳、女性が28・４歳。都市部は比較的晩婚、内陸部は比較的早婚の傾向がある。中国の法律で、結婚できるのは、男性が22歳以上、女性は20歳以上と定められている。

上海市の女性の初婚の平均年齢（28・４歳）で結婚すると、子どもが中学生になるころに本人は40代に突入する。現在、40代前半の中国人の場合、その親は60代から70代前半になっており、まだ介護の心配をする年齢ではないが、あと数年経てば、介護問題は確実に浮上する。

この場合、ポイントとなっているのは、40代前半の中国人の多くは「一人っ子」だということだ。中国の「一人っ子政策」は１９７９年末にスタートしており、そのときに生まれた子どもは２０２０年で40歳か41歳になるからだ。

中国の平均寿命は、中国政府の統計（２０１９年）で77・３歳と過去最長。60歳以上の高齢者数は2億5000万人といわれており、人口の17・9％を占めている。約5人に1人という計算だ。中国では60歳以上を「高齢者」と定義している（日本は65歳以上）。

高齢化の波は、世界最長寿国である日本以上のスピードで中国にも押し寄せてきている。中国ではかなり以前から「未富先老」（豊かになる前に老いる）、「未備先老」（まだ準備ができていないのに高齢社会に突入した）という言葉が飛び交うようになった。

先進国になる前に高齢化が始まり、富が十分に蓄積されないうちに、高齢化対策をしなければならない状態となっていることをいう。

現在、私の知り合いで、介護を必要とする老親を抱えているのは数人しかいない。そのうちの1人は広東省東莞《とうかん》市で80代の母親を介護しているが、ほとんどの介護は通いの家政婦が行っており、本人はフルタイムで働いていて、あまり参考にならない。

上海市出身で、現在は東京に住む50代後半の男性は、上海市からクルマで2時間程度の江蘇省南通市在住の母親が介護施設に入居している。入居費用は1ヵ月約5000元（約7万5000円）。

「安くはないが、自分は日本に住んでいて、介護してあげられないので仕方がない」と男性は話していた。新型コロナの影響で来日できず、離れ離れになっている妻が、上海市からと

老人介護は中国でも差し迫った問題になっている（筆者の友人提供）

きどき母親の施設に面会に行ってくれているという。

この男性によると「母親は南通語（方言）しか話せない。中国の他の地域の介護施設や、まして日本の介護施設に入居することは難しい」という。日本では、どんなに高齢でも方言しか話せないという人はほぼいないと思うが、中国では方言しか話せない高齢者はかなり多い。この点は日本との大きな違いだ。

2014年ごろに知り合った上海の元大学教授は、母親の介護を数年間行っていたと話していた。その教授は女性で、現在は67～68歳くらいになる。

その当時、母親は介護施設ではなく病院に

入院しており、週に3回くらいお見舞いに行っていると話していた。それ以外の日は病院での食事の介助や洗濯などを専門に行うお手伝いさんを雇い、月に3000元（当時のレートで約4万5000円）ほど支払っていたそうだ。この女性の場合も大学教授という恵まれた地位にあり、夫も働いていたため、母親の介護費用を問題なく捻出できたのだろう。

そのころ、この女性は私に会うと「私の母は運よく病院に入れてもらうことができ、最後まで面倒を見てもらったからよかったけれど、この先の（自分の）ことを考えると不安だ」とよく話していた。

その後、メールで母親の訃報を聞かされ、それから先はもう連絡を取る機会がなくなってしまったが、その女性には一人娘がいて、遠方に嫁いでいるといっていた。親を見取ったあと、自分と夫の老後はどうなるのか、一人娘に自分の面倒を見てもらえるのだろうか、と不安げな表情を浮かべていたのが、今でも記憶に残っている。

経済的にこれほど恵まれている人でも、介護制度が整っていない中国で、子どもが1人しかおらず、その子どもが近くに住んでいない場合は不安を覚えるようだ。

在宅介護が全体の9割を占める

中国の介護事情や、それにかかる費用などはどのくらいなのか。中国の保険、年金、社会保障制度などについて調査・研究しているニッセイ基礎研究所・准主任研究員の片山ゆき氏に話を聞いた。以下は片山氏の著作や、片山氏への取材をもとにしている。

中国では高齢者が全人口の20％近くに達しているのにもかかわらず、高齢者が置かれている状況は厳しい。都市部の高齢者で、なんらかの貯蓄があるのは45％のみで、1人当たりの平均貯蓄額は、2016年のデータで8万元（約140万円）となっている。

国家衛生計画出産委員会の推計では、2015年時点で、自身で生活することが困難な高齢者は4000万人に達しているといわれている。

中国政府は2016年6月に公的介護保険制度の導入を指示し、全国で段階的に導入されてきているが、給付対象となるサービスや給付額は限定的で、2020年11月現在、まだ確立されていない。

「介護保険の財源の多くは公的医療保険基金に頼っており、財源、運営、サービス提供などで問題を抱えているため、導入が遅れているのです」（片山氏）という。

政府は対象者や給付を絞り、在宅介護を中心としたケアを考えている。現状では多くの介護サービスは民間を頼っており、介護の多くが自費だ。北京市では「在宅介護」が90％、「地域コミュニティ」が6％、「施設」が4％となっている。上海市でもほぼ同様の数値となっており、介護が必要とされる場合、圧倒的に各家庭での在宅介護に頼っているというのが現状だ。

伝統的な家族介護の意識

2020年7月、中国保険業協会、中国社会科学院人口・労働経済研究所が実施した「2018―2019 中国長期介護調査研究報告」が発表された。60歳以上の高齢者層と30～59歳の青年層に分けて実施されたものだ。

この報告書によると、高齢者のうち約1割が、着替えや移動、排泄などの日常生活が独力のみではできない状況で、高齢者の約25％、およそ4人に1人は全面的な介助が必要であることがわかった。

介助・介護の担い手について、介護の必要度が中程度の高齢者の場合は、子女が40％、夫または妻のいずれかが22・1％。同じく重程度の高齢者の場合は、子女が35・4％、夫または妻のいずれかが18・4％となっている。

専門機関のスタッフによる介助・介護も行われているが、子女や配偶者による介護が全体の5～6割を占めている。

一方で、民間の介護サービスの利用は3割程度にとどまっている。費用が相対的に高く、経済的な負担となるからだ。中程度の高齢者で民間の介護サービスを利用している場合の実質的な月額費用は2000元（約3万円）で、これはおよそ半数の高齢者にとって可処分所得の80％を占める金額となっている。

民間サービスの利用希望は54・1％と利用の意向はあるものの、希望拠出は月額1800元（約2万7000円）までにとどめたいという考えだ。重度の場合の実質的な月額費用は4532元（約6万8000円）となっており、これは半数の高齢者にとって、可処分所得の90％を超える金額となっている。

これらの費用は、前述した上海市出身の男性のように、子女がその多くを負担している。家庭であれ、施設であれ、家族の負担は非常に大きいといえるが、その背景について片山氏は、「少子高齢化の進展で、公的な介護が必要とされていますが、一方で伝統的な家族介護の意識も根づいています」と分析する。

国立青少年教育振興機構・青少年教育研究センター編『高校生の生活と意識に関する調査報告』（2015年）の中の「若者の親の介護への意識に関する4ヵ国比較」によると、日本、アメリカ、中国、韓国の高校生の親の介護に対する意識は「どんなことをしてでも自分で親の世話をしたい」が日本では37・9％であるのに対して、中国は4ヵ国中で最も多く、87・7％に上った。

では、介護の担い手である青年層（30〜59歳）自身の老後や介護についての意識や備えはどうなっているのか。同報告書によると、青年層の5割は、「老後の備えは若い時期からするべき」と答え、6割が「それは難しくない」と考えていることがわかった。

とはいえ、民間の介護保険への加入率を見ると、青年層全体では8・2％とまだ低く、医療保険、重大疾病保険といった保険商品と比較しても、加入は進んでいないという。

中国人の3世代ローテーション

このような話を聞くと、本章の前半で紹介した、親の子どもにかける教育熱が思い浮かぶ。

中国人の子どもの教育にかける情熱は、もちろん純粋に子どもの将来を案じ、できるだけ明るい未来にしてあげたいという親心からきていることが最も大きいだろう。

だが、その一方では、自分の将来（老後）の面倒を子どもに見てもらうためには、子どもが社会的、経済的に安定した地位に就いていることが重要である、とも考えるのではないだろうか。日本以上のスピードで高齢化が進み、一人っ子政策により、子どもが原則1人だけであることを考えると、現在、子育て中の世代には、そうした「下心」や「（見返りへの）期待」も少しはあるのではないか、と思ってしまう。

後述する年金の話にも関係するが、もし年金だけで生活をすることが難しかったら「きっと、子どもが何とかしてくれる」という期待もあるのではないかと思う。

日本では「子どもに迷惑を掛けたくない」と思っている親が多いように感じるが、中国では「親子なのだから助け合うのが当たり前」といった意識はまだ根強い。

2015年ごろに取材した湖北省武漢市出身のエンジニアの男性は、以前こんなことを話していた。

それは中国人の人生における「30年ローテーション」だ。私が出会ったころ、その男性はちょうど30歳になるのを目前にしていて、結婚を焦っていた。彼の計画では、30歳になる前に結婚し、子どもをもうければ、その子どもが成人になったあとに自分は定年を迎えるので安心だ。そして、子どもが30歳前に結婚して子どもを産んでくれれば、自分は60歳でまだ元気なので、孫の世話もしてあげられる。３世代の全員がハッピーになれるのだ、という話を滔々《とうとう》と述べていた。

この男性の持論を聞いて、私は妙に感心したものだった。

偶然かもしれないが、上海市の初婚の平均年齢と、ほぼ合致している。あるいは、中国人ならば誰もがこのローテーションが無意識のうちに頭に入っているから、30歳前になると結婚を焦るのかもしれない。日本と違い、中国では両親も自分の子どもが25歳を過ぎたあたりから、「結婚はまだか？」「いつになったら結婚するの？」としつこく話しかける。

日本でも、かつては「30歳までに結婚を」という気持ちを持つ人が多かったし、中には口うるさくいう親もいたかもしれない。だが、それは自分の子どもの育児を両親に手伝ってもらおうという気持ちからいっているわけではないし、親も「早くしないと元気なうちに孫の育児ができなくなる」とは考えていない。

本人はただ純粋に、30歳という節目の年までに何とか結婚したいというだけで、両親も単に子どもの結婚を望んでいるだけだ。

中国人にも、もちろんそういう気持ちはあるだろうが、それに加えて、彼らの場合、親や子どもの年齢も考えて「30歳までに結婚を」と思ったのだろうか、と思わされた。

公的な社会保障が整備途上にあり、家族間の助け合いが日本よりも求められる中国では、これまでは何とか自分たちの自助努力だけで、育児を乗り切ってきた。

しかし、一人っ子が圧倒的に増え、晩婚化が進み、高齢化も進んでいくと、「3世代ローテーション」は崩れてしまう。やはり国家によるしっかりとした社会保障制度の確立が求められるのだ。

老後に必要な資金は日本より多い⁉

年金制度はどうなっているのだろうか。

中国の定年は男性が60歳、専門職や管理職の女性は55歳、一般職の女性は50歳となっており、法律で定められた定年退職年齢が、年金の支給開始年齢となっている。

片山氏が作成した資料（図表3－1）によると、日本人の老後の生活の主な収入源は「年金・恩給」が65・4％、続いて「稼働所得」が21・1％、「財産所得」が7・4％の順となっている。

このデータが示す通り、日本では「年金」が主な収入源になっている。「稼働所得」が20

図表3-1　老後の生活の主な収入源

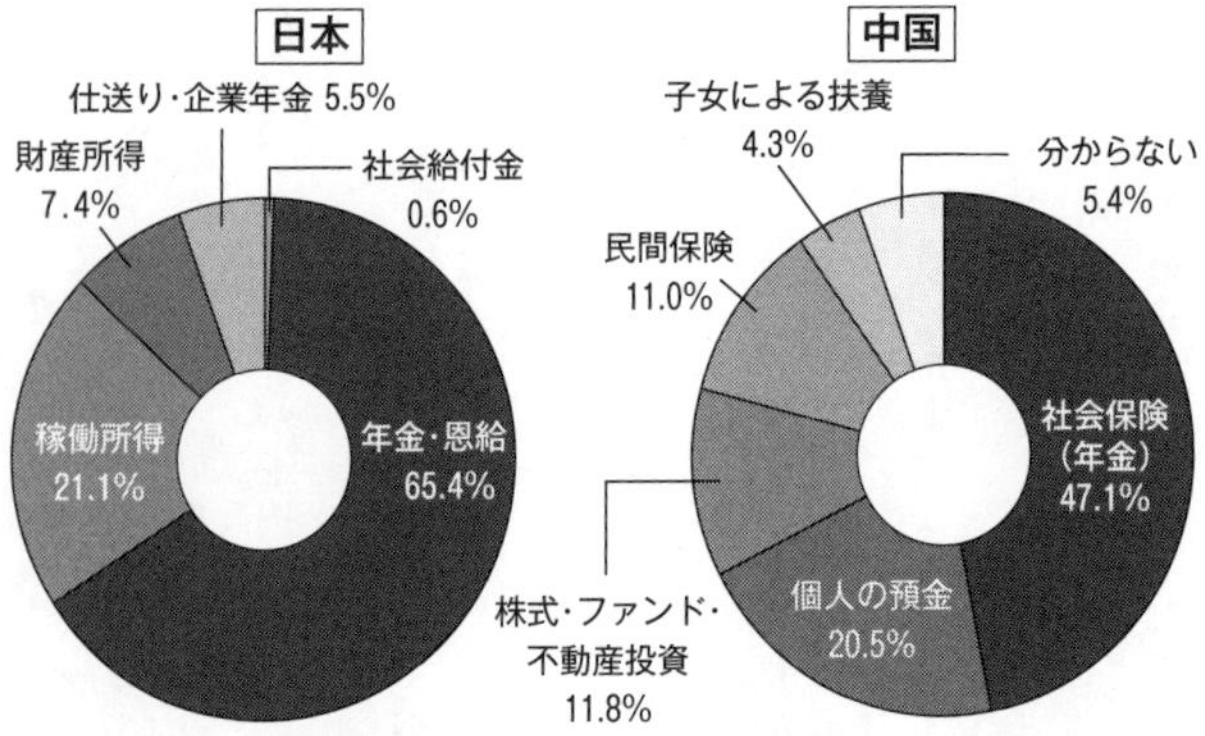

（出所）国民生活基礎調査（平成28年）
（作成）ニッセイ基礎研究所

（出所）人口普査資料
（作成）ニッセイ基礎研究所

％以上あることも、実感として頷ける。中国人が日本に観光旅行にやってきてまず驚くのが、日本の街中で働く高齢者を数多く見かけることだ。日本では「いくつになっても、元気であれば働きたい」と思う人が少なくないし、年金だけで生活できない高齢者も多い。

それに対して、中国ではどうだろうか。「社会保険（年金）」が日本と同じく最も多いとはいえ、比率でいえば47・1％と半数以下となっている。他に「個人の預金」が20・5％、「株式・ファンド・不動産投資」が11・8％だ。中国の場合、老後の生活は年金だけでなく、預金やそれ以外で得た資金でもかなり賄っていることがわかる。第1章で述べた「不動産」も、老後の生活を送る上で大きな糧《かて》になっている。

中国企業アントフォーチュンが行った「中国若者世代の老後貯蓄の現状」（2018年）というレポートによると、北京市や上海市などの大都市では、毎月の平均貯蓄額は1572元（約2万3580円）。地方なども含めた都市で、「理想的な老後の生活に必要な資金」（目標貯蓄額）は182万元（約2730万円）となっている。

日本では2019年、「老後の生活が20～30年続くと、公的年金以外の老後資金として1300万～2000万円不足する」という内容が金融庁の報告書に記載されていたことが大きなニュースとなったことがあった。

いわゆる「老後資金2000万円問題」がそれだが、このレポートを見ると、中国では、老後の生活にはそれよりも多い貯蓄が必要だと考えているようだ。

公的年金制度の仕組み

中国の公的年金は次のように分類されている。

（1）会社員や自営業者 ↓「都市職工基本養老保険」（都市職工年金）
（2）農村住民や都市の非就労者 ↓「都市農村住民基本養老保険」（都市・農村住民年金）

図表3-2　受給平均月額(元/2019年)

	都市職工年金	都市・農村住民年金
全国平均	2800	125（※1）
深圳市	3876	453
北京市	4157	878
上海市	4080	1223

（※１）2018年末データ
（出所）各市の人力資源・社会保障局公表資料他
（作成）ニッセイ基礎研究所作成

（1）は強制加入が義務づけられているが、（2）は任意加入となっている。加入者数は（1）が約４億３５００万人、（2）が約5億３３００万人で、全体の６割は任意加入だ。

中国の年金制度は、基本的に企業が保険料を拠出する部分（基本年金）と、個人が保険料を積み立てる部分（個人勘定）から成り立っている。

（1）の場合、基本年金は加入地域の前年の賃金をベースに、現役時代の本人の平均賃金と加入期間を加味して決定され、それに個人勘定部からの給付分を加えた金額が支給される。

公務員については、２０１５年まで保険料に個人負担はなく、全額税金による負担だったが、見直しが行われた。現在は都市の会社員と統合されているが、年金支給に際しては緩和措置として、職域年金分が加算され支給されている。

（2）は基礎年金の最低基準額として月額88元（約１３２０円）が定められており、それに地方政府が一定額を加算して算定、さらに個人勘定からの給付分を加えた金額が支給される。

このように、公的年金はそれぞれ分類によって支給額が異なる。

図表3－2を見ると、最も高い北京市は4157元（約6万2300円）で、全国平均より1・5倍近く多くなっている。北京市の会社員で、夫婦2人ともこれに該当すれば、老後は2人で1ヵ月12万円以上の年金が受給できる。

一方、都市・農村住民年金は極端に低くなっていることも一目瞭然だ。数年前、私が取材した杭州市の元教師は年金が月6000元（現在のレートで約9万円）だったのに対し、河北省の農家は年金が月100元（約1500円）しかないと聞いて、愕然としたものだった。

若者の年金未加入者は20％

片山氏はいう。

「中国の高齢化のスピード（高齢者人口が7％から14％に推移するのに要する時間）は日本以上とされ、2025年には高齢者が全体の14％を占める高齢社会に突入するとされています。

現在、年金受給者1名を、現役の加入者2・87人で支えている状況ですが、昨今の経済情勢から、企業や個人の保険料の負担を増やすことは難しく、各地域では保険料率を引き下げる策が取られています。注目されるのは、定年退職年齢（受給開始年齢）の引き上げですが、その検討もあまり進んでいない状況です」

中国の法定退職年齢は前述した通りだが、これは国民の平均寿命が50歳に満たなかった1950年代に定められたもので、急激に変化した実社会には合っていないという。

私も50歳で定年退職したばかりだという中国人女性に会ったことがある。その女性はまだ若々しく元気だったが、もともと子どもはなく、夫は会社経営をしていて忙しいので、自分はひまを持て余していると話していた。

この女性の場合、18歳から働き始めたと仮定すると、定年まで32年働き、定年後、平均寿命まで生きた場合、あと27年間、年金を受給するという計算になる。

中国政府は2020年末までの「年金皆保険」の確立を目指している。当局は加入率の目標値（努力目標）を90％と設定しているが、中国でも日本と同様、若者の〝年金離れ〟が進んでおり、30歳以下の年金未加入者は20・1％に達している。

その原因について、片山氏は「制度改革の過程や議論について情報開示があまり行われておらず、制度として持続可能なのか、といった憶測が先行してしまうこと。そして、加入していたとしても、地域をまたがる転職の場合、手続きが煩雑だったり、積み立てた保険料が全額継続できなかったりするなど、加入を持続しようとするインセンティブを下げる要素があるからだと思います」と分析している。

日本同様、中国の年金制度も前途多難だ。年金に対する意識が低い人もまだ多く、介護費用の問題と同様、今後中国で年金問題が大きくクローズアップされる日がくるのではないだろうか。

第4章

欲しいものを手に入れる若者たち

1ヵ月のお小遣いは2000元

「大好きな日本のアニメがあるのですが、私はそのアニメに関連するフィギュア、バッジ、グッズ、ゲーム、本、ポストカード、クリアファイルなど、すべて持っています。一つひとつの値段はそれほど高くはないですが、全部集めるのにはちょっと苦労しますね。でも、レアものを全部集めて、家に並べたときの充足感は何ともいえません。

アルバイトはしていないので親からもらっているお小遣いで買っていますが、自分がもう要らないグッズを中古アプリで売ることもあります。友だちもみんなそうしています」

北京市内の大学に通う21歳の女の子に自分の趣味について聞いたところ、こんなふうに答えてくれた。

この女子大生が大好きな日本のアニメは『とある科学の超電磁砲《レールガン》』というタイトルで、日本では2009年10月から2010年3月までテレビアニメが放送された。日本で人気に火がついたアニメは、ほぼ時差なく中国でも大人気となることが多いが、この女の子も日本発のアニメに夢中になっている。

中古品を売り買いしているのは「閑魚《シエンユー》」(Idle Fish)というアプリ。「中国版フリマ(フリーマーケット）アプリ」や「中国版メルカリ」といえる中国では有名なアプリで、利用者の半数以上が若者だといわれている。中国のフリマ市場は年々増加しており、２０１８年は約７０００億元（約10兆５０００億円）に上った。

アニメグッズ、パソコン、スマホ、アウトドア用品、コスプレ用品、家具、家電、書籍、衣服、雑貨、倒産した店の在庫品など、ありとあらゆるジャンルの中古品（ときには生きた犬や猫）もここで購入することができる。

新型コロナが発生する以前、２０１９年末まで、彼女は高校時代の同級生が留学している東京に遊びにきて、池袋にあるアニメ専門店「アニメイト」などで好きなグッズを数万円分も買い集めていたという。

父親は北京市内で企業経営しており、母親は地元の企業に勤務している。中国の大学生は基本的に全員寮生活を送っているため、同じ市内にあっても実家にはあまり帰らないことが多いが、母親からは毎日のようにウィーチャットでメッセージが送られてくるという。

「お母さんとは友だちのような関係。何でも話すけど、ちょっと過干渉なので面倒くさいな、と思うときもありますね」

お小遣いの金額はとくに決まっておらず、足りなくなったら「いつでもウィーチャットペイで自分のスマホに送金してくれる」そうだ。

この女の子の場合、1ヵ月に使う金額は「月によってバラつきがありますが、だいたい2000元（約3万円）くらい」と教えてくれた。

私は2010年9月、『中国人エリートは日本人をこう見る』の取材で北京を訪れ、同じく21歳の大学生、十数人にインタビューしたことがある。そのときに聞いたお小遣いの金額は1000元（当時のレートで約1万2000円）という答えがいちばん多かった。

2012年に出版した同著に、私は次のように書いている。

「毎月1000元以上のお小遣いをもらい、大きな買い物は親のクレジットカードを使う。彼らにとっては（1000元のお小遣いは）『平均的な金額』だというが、新卒の平均月収が約3000元に満たない北京では相当裕福なほうに入るだろう」

このエピソードから、当時の新卒の給料は2020年の約半分、お小遣いも約半分くらいだったことがわかる。

あの取材から10年の歳月が経ち、当時取材した大学生は30歳になるころだが、都市部で生まれ、経済的にも恵まれて育った一人っ子の若者、という点は現在の大学生も変わっていない。変わったのはスマホが登場し、お小遣いが手渡しの現金ではなく、ウィーチャットペイという電子決済サービスで送金されるようになったことだ。

彼女は1999年生まれ。中国的な表現でいうと「95后《ジウウーホウ》」（1995〜1999年に生まれた世代）に当たる。

まったく新しい価値観を持つZ世代

日本でもしばしば報道されているが、中国ではジェネレーション（年代）ごとに一括りにして表す言葉がある。

その先駆けとなったのは、2010年ごろから日本のメディアにも登場し始めた「80后《バーリンホー》」（1980年代生まれ）だ。日本では当初、一人っ子でわがまま、自己主張が強い、中国版の新人類、などの枕詞で語られることが多かった。その80后も、最も年長者となる1980年生まれは、2020年に40歳という節目の年齢を迎えた。80后といえば「一人っ子世代」の代名詞だった。

「小皇帝」（小さな皇帝）や「6ポケット」などと呼ばれることもあった。6ポケットとは、1人の子どもに対して経済的メリットを与える先が六つ（両親と双方の祖父母）あるという意味だ。

80后を中心として、そのあとの世代を90《ジウリンホー》后、00《リンリンホー》后と呼び、80《バーリンホー》后の前の世代を、後づけで60《リウリンホー》后、70《チーリンホー》后と呼ぶようになった。

50《ウーリンホー》后（50年代生まれ）以降、中国で最も人口が多いのは60后（約2億3500万人）、次に多いのが80后（約2億2800万人）だ。ちなみに、1960年以降、2020年までで、出生人口が最も多かった年は1963年。2番目に多かったのは1987年だ。1990年代後半からは世代の人口が急速に減少し、中国も日本や韓国同様、少子化が深刻な社会問題となっている。

世代の人口減少のスタート時期となっているのは、前述の女性が生まれた世代、95后だ。一般的に、ジェネレーションは10年を一区切りとするが、80年以降、中国社会の変化のスピードがあまりにも激しくなったため、85后、95后という言葉ができたようだ。

「95后」以後の世代を世界では「Z世代」と呼んでいる。

アメリカで生まれた言葉で、定義によって2～3年異なるが、95年以降に生まれた若者を指す場合が多い。それまでの世代と決定的に違うのは、生まれたときからインターネットがある「デジタルネイティブ」、そして「SNSネイティブ」であるという点だ。

中国のZ世代の特徴とは何なのか。

東京・飯田橋に本社があるトレンドExpress社の『中国トレンドExpress』編集長の森下智史氏に話を聞いた。森下氏は上海にある華東師範大学に留学した経験があり、中国の若者事情や現地のトレンドなどに詳しい。

森下氏はいう。

「中国の調査では、中国のZ世代は人口約2億6000万人で、1年間に支出する金額は約4兆元（約60兆円）といわれています。彼らの親の世代は60后が多いです。彼らが幼いころはまだあまりモノがなく、大人になっても仕事の選択肢が少なかった。彼らは自分の子どもたちには自由に生きてほしいと思って育ててきました。

そうした影響もあり、Z世代の若者はそれまでの中国人とはまったく異なる新しい価値観を持っているといえます。消費意欲が旺盛で、『一流大学を出たら一流企業に勤め、必死に働いていいマンションや高級車を買うのがステイタス』といったような固定概念を持っていません。自由に自己表現することが好きで、自分の趣味に合うものや好きなものなら、かなりのお金を出してでも買いたいという傾向が見られます」

以前、アリババグループの前執行副総裁である衛哲氏が、各若者世代の特徴について、次のような言葉を残している。

「85后还存銭（85年～89年生まれの人々はまだお金を貯めている）
90后不存銭（90年～94年生まれの人はお金を貯めない）
95后敢借銭（95年～99年生まれの人はお金を借りてでも使う）」

この表現からも、1985年以降、若者のお金に対する考え方は急激に変化していることが見て取れる。それは当然、価値観やライフスタイルにも影響を及ぼしている。

中身を見ないで購入するという新たな傾向

前述の女子大生もそうだったが、彼らは自分が「欲しい」と思ったものには、際限なくお金をつぎ込んでしまう傾向がある。物欲がとても強く、自分の感情に歯止めがきかないところがある。

購入するものはさまざまで「かなり多様化しているので一括りにはできない」（森下氏）が、趣味に関するものが多いようだ。ブランドものや高級品も大好きだが、そればかりではなく、自分がとことん好きになったものなら、周囲の目を気にせず、何でも手に入れようとする。上海に住む若者も「ブーツが大好きで、ブーツだけで50足くらい集めていて、部屋の中はブーツだらけ」と話していた。

森下氏が驚いたのは「中身を見ないで購入するという、これまでの中国人には決して見られなかった傾向がこの世代にはあること」だ。

その一つが「盲盒《マンフー》」を買うこと。「盲盒」とは中国語で、ブラインドボックスと訳されることが多い。日本では「箱入りのガチャガチャのようなもの」と説明するとわかりやすいだろう。中に何が入っているかわからない「お楽しみ箱」で、価格は20元（約300円）〜100元（約1500円）くらい。購入して箱を開けなければ中身はわからない。

盲盒の自動販売機

箱に入っているのは特定キャラクターに複数のデザインがあるシリーズ物が多く、どんなデザインかはわからない。自分が好きなデザインではなかったり、持っているものと重複する可能性もあるが、それでも彼らは購入することをためらわないそうだ。

そのため、転売することもあるが、そもそも、自分の求めるものと異なるかもしれないオモチャを躊躇《ちゅうちょ》なく買う、という行動に、私も驚かされた。

なぜ驚いたのかというと、かつての中国人ならば、自分がバカを見るかもしれない（騙されるかもしれない）商品は決して買わないし、そのような行動は絶対に取らないからだ。

用心深い行動を取るのが当たり前だったが……

思い出したのは、わずか5年前のこと。「爆買い」ブームといわれた2015年、東京・秋葉原の家電量販店の店内で、箱に入った新品の電気炊飯器を前にして、大勢の中国人が何か大声でしゃべっているところに偶然通りかかった。

「この炊飯器にちょっと水とコメを入れて炊いてみてくれ。不良品かどうか確かめたいんだ。確かめてからでなければ、いくら日本製でも買わないよ」

「おお、そうだ。そうしてくれ」

炊飯器売り場には箱に入った新品の電気炊飯器が何個も積み上げられていたが、中国人観光客は、封がしてある箱を一つひとつ開けて、このように叫んでいた。

箱の中に〝ホンモノ〟の炊飯器がちゃんと入っているか、それが実際に使い物になるのかどうか、買う前に確かめたいと訴えていたのだ。

日本人の店員は困り果て、通訳に「大丈夫ですから」「これは商品です。この場でおコメを炊くことはできません」と一生懸命説明していた。

しかし、中国人にとっては、たとえ店先だろうが、どこだろうが、そうした行動を取るのは「当たり前」のことだった。

中国国内でも同じようにして商品を自分の目で確かめてきたからだ。そうでなければ、中国では店員に騙されてしまう可能性が十分あるし、ニセモノが売られているかもしれない。買った炊飯器が１日で壊れてしまったら大変だ。

私は思わず苦笑してしまったが、日本の家電量販店の店員は、最初のうち、中国人観光客が取ったそのような行動に面食らったことだろう。

実は、逆のパターンで私自身にも身に覚えがある。中国に行った際は、日本では取ったことがない行動を取ることだ。

自分が意識しているのは、リムジンバスやタクシーに自分の荷物を積み込むときだ。運転手に荷物を手渡すと、さっさと乗り込んでしまう人がいるが、私は絶対にそうしない。

自分の荷物が無事にバスの収納庫やタクシーの後部に置かれたかどうか、自分の目で最後まで見届けてから座席に乗り込むようにしていた。中国で痛い目に遭わないために、自然と身についた習慣だ。

ところが、「爆買い」からわずか5年。爆買いしていた人々の多くは内陸部出身の団体観光客が多かったので、年齢も出身地も異なるとはいえ、Z世代の若者たちは、そのような「中国人的な用心深い行動」を取らないどころか、箱の中身を確かめることすらしないで商品を購入するという。

「自分は騙されることなどない」と思い込んでいるのか、あるいは「100元くらいのものだし、別に騙されたっていい」と思っているのか、あるいはそんなことは想像すらしてみたこともないのか……。その〝無防備さ〟や〝無邪気さ〟は、それまでの世代の中国人から見たら「あり得ない」行動だ。

他人を信用することに不安がない

もう一つ驚かされたのは、アプリで知り合った見ず知らずの人を簡単に信用してしまうことだ。

前述の北京の女子大生は日常的にフリマアプリの「閑魚《シエンユー》」を介して、さまざまな人と知り合うといっていた。

商品の売買について、メッセージのやりとりをするが「別に問題ないです。同じようなグッズを集めている人だし、初めてでも、軽いノリで会話ができます。信頼できる相手かどうか？　とくに考えたことなんてありません。同じような趣味の人が多いので、むしろ気が合うことのほうが多いです。そのあとＳＮＳで友だちになることはあまりありませんが、だからといって不信感などもまったくないです」（女子大生）といっていた。

釣りが趣味で、釣り道具などをこのアプリでよく購入するといっていた上海市内の男性にも聞いてみたのだが、同様のことをいっていた。

「このアプリはもともとショッピングサイトの淘宝《タオバオ》内にあったものだし、現在はアリババ傘下ですから、多くの人が利用しています。

たまにちょっと怪しい商品が流れてくることもあるのですが、このアプリで売買するときには自分や相手の信用スコアも表示されますし、過去にその人がどんな商品を売買したかという履歴も見られるようになっています。ですから、不安やリスクは感じていません」

信用スコアとは、まえがきでも触れたが、「芝麻信用《ジーマーシンヨン》」と呼ばれるアプリで、個人の信用が「見える化」できるシステムのこと。

過去の支払い履歴やＳＮＳでの言動などによってスコアが加算されていき、スコアが高ければ高いほど個人の信用度が高まるというものだ。

この話から、私はアリペイ（支付宝《ジーフーバオ》）が普及し始めたころのことを思い出した。アリペイもアリババ傘下のアント・フィナンシャルが開発した電子決済サービスだ。２００４年に淘《タオ》宝《バオ》の決済機能として始まり、２０１６年ごろにはスマホの決済手段として欠かせない存在となった。

アリペイが中国人に受け入れられ、爆発的に普及した背景の一つには、中国人同士の不信感があったといわれる。

それまでの中国は「相互不信社会」であり、顔も見たことのない赤の他人のことは一切信用できなかった。だから、日本のように、発送した商品の箱に振り込み用紙を入れるなどの後払いシステムは、中国人には到底受け入れられない。「信用社会」だからこそできる日本的なやり方だった。クレジットカードも、与信管理が難しい中国では根づかず、カード払いという方法も主流にはならなかった。

アリペイの仕組みは米国発の決済システム、ペイパルと同様で、販売者と購入者の間に立ち、双方のリスクを回避することだ。商品を無事に受け取り、問題がなければ、アリペイを介して支払いを完了する。販売者の実態がよくわからなくても、自分がリスクを取ることはない。

もし問題があれば、ペイパルと同じく、アリペイに対して異議を申し立てることができる。だからこそ「相互不信社会」だった中国で受け入れられ、定着した。

「閑魚《シエンユー》」アプリも支払いに関しては決済サービスを利用する。商品のことでトラブルが起こる可能性もあると思うが、アリペイが浸透し、中国社会が変化してきたからか、Z世代の若者たちからは不思議なほど、知らない人に対する不信感や不安の声は聞こえてこなかった。

人気が高い国産の化粧品

国際コンサルタント会社、OC&Cストラテジー・コンサルタンツが2018年に行った世界9ヵ国、約1万5000人を対象にした調査によると、家計支出に占めるZ世代の割合は、アメリカとイギリスではそれぞれ4%なのに対し、中国では15%に上った。

同社が行った別の調査によると「中国のZ世代の半数以上が、高級品の購入に同年だけで5万元以上を使用した」とあり、「将来を楽観している」というZ世代は41%（世界全体では26%）、「前の世代よりもよい生活を送れるだろうと考えている」Z世代は28%（世界全体では24％）であることがわかった。

物欲が強いといわれている彼らは、どんなものを買っているのか。

Z世代の若者に話を聞いていくと「メイド・イン・チャイナ」の化粧品の人気が高まっていることがうかがえる。中国では国産ブランドのことを「国貨《グオフオ》」と呼んでいる。化粧品以外でも国産製品（アパレルなど）の品質が上がり、若者たちに選ばれるようになってきている。

中国の伝統文化を取り入れた商品のトレンドは「国潮《グオチヤオ》」。コスプレ感覚で人気となっている漢服（漢民族の伝統的な服装）ブームがその一例だ。週末に上海の地下鉄に乗っていると、女子高生らしき女の子たちが漢服を着て撮影に出かけていくところをよく見かける。

化粧品に限らないが、中国産といえば、以前は「品質が悪い」「デザインがダサい」「ニセモノが多い」など、海外だけでなく国内でも評判が悪かった。

「まえがき」にも書いた通り、つい数年前まで、中国人は「国産品はよくない」という固定概念を持っていた。

化粧品に関しても、以前は日本や韓国、欧米の化粧品ブランドを使うことが多かったが、2018年ごろから中国でも安価で高品質な化粧品ブランドが次々と立ち上がるようになってきた。

とくに注目を集めているのが『完美日記《ワンメイリージー》』（Perfect Diary）という化粧品ブランドだ。『完美日記』は２０１６年に発売された。オンライン中心に販売されていて、２０１９年の売上高は約35億元（約５２５億円）。中国版インスタグラムといわれる「小紅書《シャオホンシュー》」（ＲＥＤ）を中心とする販売戦略で人気に火がついた。「小紅書」は２０１３年に中国で始まったＳＮＳで、動画や写真、クチコミなどを投稿したり、共有したりできる。

特徴的なのは「小完子《シャオワンズ》」と呼ばれる美容部員的な存在のコミュニティリーダーが多数いること。この「小完子」を中心に多数のウィーチャットグループを作り、そこで商品説明や使い心地などを紹介。顧客とコミュニケーションをきめ細かく図ることでファンを獲得していった。

このブランドについて、前述の女子大生の同級生たち数人にウィーチャットで話を聞いてみると、全員から「もちろん知っている」「大好き」という返信があった。

そのうちの１人は「口紅がとくに好き。たくさんの色を持っているけど、とくに真っ赤な発色が気に入っている」と答えた。別の女性は「化粧品代に月４００元（約６０００円）くらいは使っていると思う。ほとんどすべてネットで購入している」と話していた。『完美日記』のサイトを見てみると、価格帯は日本円に換算して１０００~３０００円程度のものが多い。高価ではないが、男性モデルなども起用して、洗練されたイメージを演出しており、今では日本の若者の間でも人気となっている。

20代でもアンチエイジングに余念がない

『完美日記』のヒットでもわかる通り、Z世代の特徴の一つが、高い美容意識を持っていることだ。

私が知る限り、40代以上の中国人女性の多くは、かつては出勤時にもまったくお化粧をせず、化粧品もほとんど持っていなかったので、隔世の感がある。

2018年に中国のリサーチ会社、アイリサーチが発行した『95后のファッション消費レポート』によると、Z世代の女性の44・8%が「毎日口紅をつけている」と回答し、中国の他の世代と比較して11・8%も高くなっている。

また、47・3%の女性が普段から口紅を持ち歩いており、20%以上の女性が「5本以上の口紅を持っている」と回答した。ほかに、「最近購入したスキンケア商品」ではクレンジングミルクが46・9%、乳液が29・8%、フェイスパックが28・1%だった。

それ以前の世代と比較して特徴的なのは、保湿、シワ予防などアンチエイジングに非常に気を配っている点だ。

　上海市内の外資系IT企業で働いている張偉氏（29歳、仮名）は男性でありながら、いつもアンチエイジングに気を配っていて、毎月の化粧品代に約1000元（約1万5000円）使っていると話していた。中国の通販サイトには化粧品のサンプル品だけを集めた商品セットがあるので、それを買って、使い心地を楽しんでいるという。

　なぜ20代の若さでアンチエイジングを気にするのか。

　広東省深圳市在住の20代の女性にSNSで連絡を取ると、笑いながらこう語ってくれた。

「私の母親は今47歳ですが、日に焼けていてシワがあり、60歳くらいに見えます。私もあと20年ちょっと経ったら、母親のようになるのではないかと思うと、今から心配です。

　母親がお化粧している姿はほとんど見たことがありません。若いころから出稼ぎで忙しく、お化粧するひまもなかった。だから、私は今のうちからアンチエイジング化粧品を使って、できるだけ若い肌をキープしたいと思っています」

　彼女が化粧品を買うのも、前述の女の子たちと同様、主にネットだ。

　2020年の「独身の日」（11月11日に行われるECサイトのセールイベント、ダブルイレブンと呼ばれている）には、前もって目星をつけておいた化粧品を2000元（約3万円）分くらい購入したと話していた。彼女の５０００元（約7万５０００円）の給料の半分近くに上るが、美容にかけるお金は惜しまない。

北京に住む女子大生やその友人たちは「化粧品を扱っているセレクトショップなど、お店にも見に行くのですが、お店では質感や色を確かめたりするだけ。実際に買うのは全部ネット。買ったら会社に商品を届けてくれるので便利です」と話していた。生まれたときからネットがある環境で育っているので、そうしたやり方が当たり前になっているのだろう。

海外旅行は1年に6回

Z世代に限った話ではないが、ここ数年、30代以下の中国人の間で大流行していることといえば、やはり旅行だ。国内・海外旅行ともに大人気となっている。

中国旅游研究院のデータによると、２０１９年に出国した中国人は約1億５０００万人を超え、前年比３・３％増だった。国内旅行は60億人と前年比８・４％増だった。人口が14億人なので、国内旅行には１人当たり4回以上、出かけている計算になる。

中国人の出国者数の推移を見ると、２０１２年は約８３２０万人だったので、7年間で2倍近くに激増した。中国のオンライン旅行大手のトリップドットコムによると、２０２０年春節の渡航先で最も人気があったのは日本で、続いてタイ、シンガポール、マレーシア、ベトナム、インドネシア、フィリピン、カンボジアなどだった。

前述した29歳の男性、張氏は月収約2万4000元（約36万円）。上海市の平均給与（約9580元＝約14万3700円）の2倍以上もあり、生活にはかなりの余裕がある。

彼の趣味は海外旅行だ。新型コロナが発生して2020年は一度も行けなかったが、2019年は計6回も出かけた。

「1回はイギリスで、5回は大好きな日本でした。その前年はスペインに行きました。だいたいヨーロッパとアジア（主に日本）に数回ずつ行くことが多いです。イギリスは7日間の一人旅で約2万元（約30万円）くらい使ったと思います」

彼のSNSには旅行中に撮影したプロ並みのきれいな写真がたくさん載っていて、見ているだけで楽しい。

旅慣れているので、仕事の休暇が取れさえすれば急に計画して出かけることもあり、「旅先に着いてから、翌日の計画を立てることもあります。ときには何もしない日もありますが、リフレッシュするにはもってこいですね」と話す。

彼の旅行の投稿で印象に残っているのは小豆島だ。そのSNSを見た私が「ここは小説

『二十四の瞳』の舞台になったところですね」とメッセージを送ったところ「そうですね。映画『八日目の蟬』のロケ地でもありますね」という返事がサラリと返ってきて、とてもびっくりした。小豆島の情報はすべてネットで入手しており、観光地だけでなく、路地裏を散歩して歩くことも大好きだという。

新型コロナが発生して以降、彼のような旅好きの若者の行先は国内旅行へとシフトしている。それを当て込んで、中国東方航空などいくつかの航空会社では、同6月から「随心飛《スイシンフェイ》」（飛び放題）というプランを発売した。年末までの半年間、週末に限り、空席があればエコノミークラスに乗り放題という内容だ。東方航空の場合は3322元（約5万円）。これがかなり人気で、新型コロナが落ち着いた2020年夏以降、旅行好きな中国人の間では「こんにちは」の代わりに「この週末はどこに行く？」が挨拶になっていたというくらいだ。

2020年10月、国慶節（中国の建国記念日）の大型連休中に旅行した人は約6億3000万人。新型コロナの影響で人出は前年並みとはならなかったが、それでも前年の7～8割にまで回復した。

人気の旅行先は北京、上海、広州といった大都市のほか、三亜《さんあ》（海南省）、成都（四川省）、麗江（雲南省）、ラサ（チベット）、重慶、敦煌《とんこう》（甘粛省）などだった。海外に渡航できない分、国内でも「少しでもエキゾチックで、風景が美しく自然豊かなところ」が人気だった。
トリップドットコムの調査によると、同社のユーザーの70％が35歳以下の若者で、大都市圏（北京、上海、広州）に住む人が多いが、彼らの間で今後の旅行のキーワードとなってくるのは「クラウド旅行」、「野奢《イエシャー》」、「マイクロツーリズム」、そして「ドライブ」だ。
クラウド旅行とは中国語で「雲游《ユンヨー》」という。実際に足を運ぶ旅行をするわけではなく、ネットやVR（バーチャルリアリティ）などを使って、家で楽しむ旅行のこと。国慶節期間中、四川省の観光地、「成都ジャイアントパンダ繁殖研究基地」では、子どもパンダの実況中継を行い、多くの人々が「クラウド旅行」で楽しんだ。もちろん海外にも「雲游」で行くことができ、「雲游日本」もある。

野奢《イエシャー》とは近年にできた言葉で、「野（ワイルド）」と「奢（デラックス）」を足したホテルや、ハイクラスの民宿などのこと。たとえば内モンゴルのリゾートホテル内にあるパオに泊まって乗馬を楽しんだり、雲南省の森林に囲まれたリゾートホテルでバードウォッチングをしたり、といったものだ。

マイクロツーリズムはコロナ禍の日本でも流行っているが、少人数による近場の旅行を指す。中国では自由時間が少ない団体旅行は人気がなく、個人旅行をする人が増えているが、家族だけで独自にプランを立てた貸し切りバスの旅行などもこれに当てはまる。

Z世代はなぜお金があるのか

話をZ世代に戻そう。読者の中には「なぜ中国のZ世代はそんなにお金があるのだろうか?」と疑問に思う人も多いだろう。

むろん、中国のすべてのZ世代が冒頭で紹介した女の子のように毎月2000元(約3万円)ものお小遣いをもらい、中身がわからないオモチャに散財したり、化粧品にお金をつぎ込んでいるわけではない。

そのような生活ができるのは北京市や上海市などの大都市や、内陸部でも都市部に住んでいる、比較的恵まれた層の若者たちに限られる。

日本でも、親が裕福であれば子どもも裕福であるという「富の連鎖」があり、貧困層との格差が問題となっているが、中国ではその格差はもっと激しい。経済的に余裕のある家庭では(日本でも同様だが)、子どもが成人しても、親がマンションやクルマを買い与えたり、結婚式の費用を全額出したりする。

山東省青島市の国有企業で働いている趙鳳氏(30歳)は、同じく国有企業勤めの両親から

２０１９年にマンションを買ってもらった。Ｚ世代ではないが90后だ。

趙氏は上海の企業に就職したが長続きせず、２０１９年に生まれ故郷の青島に戻った。

「上海で働いていたとき、給料は手取り６５００元（約９万７５００円）で、家賃は２０００元（約３万円）でした。会社まで１時間半もかかる郊外で、家賃が安かったのはよかったですが、通勤がとても大変でした。物価も高いので、お金はほとんど残りませんでした。

今、給料は同じくらいですが、家賃はかかりません。故郷に帰ってくる自分のために両親がマンションを買っておいてくれたのです。マンションは90平方メートルくらいの広さで２ＬＤＫ。価格ははっきりとは聞いていませんが、１平方メートル２万４０００元（約36万円）くらいだといっていたので、日本円で３２００万円くらいでしょうか。この辺は上海などに比べたらまだずいぶん安いです。１人で住むには広すぎますが、両親は僕の結婚を期待して、用意してくれたんです」

恵まれた生活だが、彼のような若者は中国にはいくらでもいる。

第２章で書いたように、中国では結婚する際、男性側がマンションを用意しておくことが必要だという考え方がまだ残っているからであり、親としては、お金があるうちに、子どもに形に残る財産を残しておきたいという気持ちがあるからだ。

趙氏はマンションと同時にクルマ（ベンツ）も買ってもらった。父親はホンダのクルマが好きで乗っているが、彼は自分の好みでベンツを選んだという。

「家賃を払う必要がないので、せめてクルマのローンだけでも、と思って毎月少しだけ負担しています。それでも、ほかには会社の近くで食事するくらいですから、お金はかなり残りますね」

彼の場合、残ったお金は大好きな旅行などに使っていると話していた。

都市部の独身者は「実家暮らし」

Z世代の子どもが比較的自由にお金を使える別の理由としては、両親と同居している場合だ。第1章の不動産問題と関係するが、もともと親が都市部出身であれば、親はたいていマンションを所有している。

その子どもが都市部で就職する際、実家から仕事に通うことが可能なので、高額な家賃を支払わなくて済み、自分の可処分所得が増える。

日本の都市部では、親元に住んでいても、就職して1～2年したら、実家を出て1人暮らしを選んだりする若者も多いが、中国ではそれはほぼあり得ない。家賃が高すぎて、1人暮らしをしたらお金が残らないことと、結婚を区切りとして実家を出るという認識があるので、独身のうちは実家を出ない（出る必要がない）という考え方があるからだ。

第2章で述べたように、北京市や上海市で、1人用のマンションを借りようと思ったら、5000元（約7万5000円）以上はかかり、20代前半の若者なら給料がまるごとなくなってしまう。

1999〜2000年ごろ、日本では「パラサイト・シングル」という言葉が流行した。社会学者の山田昌弘氏（現中央大学教授）が提唱した造語で「パラサイト」は「寄生虫」、「シングル」は「独身」だ。パラサイト・シングルは「学校を卒業した後もなお親と同居し、基礎的生活条件を親に依存している未婚者」のことをいう。

日本では、そうした人のことを「いつまでも自立できない子ども」としてネガティブに受け止める面もあったが、中国ではそのような受け止め方をする人は、まったくといっていいほどいない。

中国でも「啃老族《ケンラオズー》」（成人しても年老いた親に経済的に依存する子どものこと）という言葉が流行ったことがあったが、それは仕事を見つけられないで親のすねをずっとかじっている人のことをいう。

中国の都市部では、大学を卒業する際に大学の寮から実家に戻り、親と同居することが当たり前とされており、実家暮らしだからといって「パラサイト・シングル」という認識は誰も持っていない。

むしろ、地方出身者から見ると、親と同居することができ、自分の給料を自分の好きなように使える都市部出身者のことを「うらやましい」と思っている。

簡単にサラ金に手を出す若者たち

いつでもどこでも気軽にネットにアクセスでき、しかも、欲しいものは何でも手に入れようとするZ世代は、お金が足りなければ簡単に消費者金融などに手を出してしまうという問題も起きている。

人材情報会社の智聯招聘が発表した「2018年 ホワイトカラー満足度指数調査報告」によると、「借金を抱えている人」は21・89%いて、預金残高が1万~3万元（約15万~約45万円）しかない人も20・15%いることがわかった。

北京融世紀信息技術の調査によると、53%の大学生が自分の支払い能力を超える部分はローンに頼っているという。

若い世代を狙うネットの消費者金融はここ数年、猛烈な勢いで伸びている。

中商産業研究院の「２０１８―２０２３ 中国インターネット消費者金融業界市場展望と投資機会研究報告」によると、２０１７年のネット金融の取引規模は約30兆元（約４９１兆円）以上であり、前年比33%も伸びている。

中国メディア東方新報の記事の中で、中国人民大学の劉俊海教授は「若者の過度な消費が、個人、家庭や社会にとってリスクになるほか、養老年金体制にもリスクをもたらすと考える。ネット金融業界は、若者を過度な消費に誘うような行為を慎むべきだ。さもないと商業倫理や法規にも違反し、消費者金融業界にも悪影響を及ぼしてしまう」と警告している。

２０１９年末、ＩＴ大手、新浪《シンラン》傘下のオンライン消費者金融プラットフォーム「新浪金《シンランジン》融《ロン》」が「微博借銭《ウェイボージエチエン》」（ウェイボーを利用したローン）というサービスを打ち出した。

中国メディア「36Ｋｒ」の報道によると、同11月11日（「独身の日」のセール）のサービスで「オンラインショッピング・ランキング」というキャンペーンを行った。これは、利用者が「独身の日」に購入した商品の写真をウェイボーにアップし、その写真に対する「いいね」の数を競うものだという。

「いいね」の数に応じて５００～１万元（約７５００円～15万円）の賞金が与えられる。そして、同サービスを利用して一定以上のお金を借りた場合、「いいね」の数が2倍に計上されるという仕組みということだった。

このキャンペーンの開始後、利息が高すぎることや、ランキングの上位は人気アイドルが出演するCMの商品だけで占められていることが判明し、批判が集まった。

自分のSNSの順位を上げるためだけに「微博借銭」からローンを借り、「いいね」の数を稼ぐファンもいたからだ。

その後、「微博借銭」は「金額によって『いいね』が倍になるというのはデマだ」という声明を出し、年利も法定基準内であると説明したが、ユーザーはたとえ金利が高くなくても高いサービス料を支払わされることになり、悪質なやり方だという声が挙がった。

昨今、これ以外にもたくさんのネット消費者金融があり、そのサイトをクリックすると魅力的な勧誘の言葉で、次の画面へと誘導していくものが少なくない。

上海に住む50代の経営者である私の友人は、ある日突然、消費者金融の担当者から携帯に電話が掛かってきたときのことを話してくれた。

「私が電話に出ると、いきなり『○△さんと知り合いですよね?』といってきたんです。○△さんはうちから借金をしたんだが、あなたが返済してくれますか?　という内容。びっくりして、慌てて拒否して、その電話を切りました。

○△さんとは知り合い程度で親しくはなかったのですが、あとで聞いた話では、消費者金融でお金を借りて返せないと、その人のスマホに入っているすべての連絡先に電話をかけて借金を取り立てるそうです。

最近の消費者金融は、簡単な審査だけで、すぐに20万元（約３００万円）、50万元（約７５０万円）という大金を貸してくれるそうですが、もし自分の娘が知らないうちにそんなことをやっていたら、と思ったらゾッとしました」

若者が憧れるＫＯＬ（キー・オピニオン・リーダー）

Ｚ世代や、その上の80后世代から、ネット上で大きな影響力を持つＫＯＬという存在が生まれた。ＫＯＬはキー・オピニオン・リーダーの略で「中国版のインフルエンサー」ともいえる。インフルエンサーは世間にインフルエンス（影響）を与える人として、日本でも数年前から使われるようになった言葉だ。

中国では２０１５年ごろから専門性を持ったインフルエンサーのことを「ＫＯＬ」や「網《ワン》紅《ホン》」と呼んでいる。「網」はネット、「紅」は「人気がある」という意味だ。

仕事の内容は、依頼を受けた商品やサービスのプロモーションをウェイボーやウィーチャット、小紅書《シャオホンシュー》（RED）などの中国のSNSを通して幅広い人々に紹介することだ。そのため、KOLにとって大事なのは、どれだけのフォロワー数がいて、どのくらい大勢の人にアピールできるか、ということになる。

現在、中国にいるKOLはおよそ2000万人といわれている。プロとして稼ぐ人もいる一方、他の職業も持ちながら副業としてKOLをやっている人もいる。

中国でKOLが人気となった背景には何があるのか。

理由の一つは中国人のマスメディアや企業広告への不信感がある。広告でいくら「この商品はすばらしい」と宣伝しても、中国人は「本当か？」「広告でしょう？　何か裏があるのではないか？」と思って信じない。メディアといえば政府によるプロパガンダ（政治宣伝）に決まっている、という認識を持つ中国人が多いからだ。

しかし、信頼している友人や身内が太鼓判を押す商品ならば、自分も信頼して購入するし、クチコミならば安心だ。そうした社会的な背景があるために、タレントよりも親近感のあるKOLという存在ができあがり、定着していったといわれている。

関連することとして、中国でも日本同様、「テレビ離れ」がある。お仕着せのテレビよりも選択肢が多いネットを見る機会が圧倒的に増えて、ＳＮＳへの依存度が高まった。

中国で最も有名なＫＯＬと呼ばれる人が何人かいる。そのうちの１人は李佳琦《リージアチー》氏という男性だ。１９９２年、湖南省生まれ。ロレアルの美容部員として働いていたが、自ら口紅を塗り、その使用感を女性目線の巧みな言葉で表現していくうちに頭角を現し、瞬く間に有名人になった。主に化粧品や日用雑貨、食品などのプロモーションで高い評価を得ていて「口紅《コウホン》一哥《イーガー》」（口紅王子）というニックネームで親しまれている。

ライブコマースで大人気の李佳琦氏（中国のウェブサイトより引用）

今、中国の若者で彼のことを知らないという人はいないといっても過言ではないだろう。中国で最も有名な90后の１人だ。

彼は一回のライブコマース（中国語で直播《ジーボー》という）で３億円分以上の化粧品を売り上げるといわれている。

ファッションや生活雑貨のプロ

モーションで人気を得ているのが薇婭《ウエイヤー》氏だ。1985年、安徽省生まれの女性で、ファッションや生活雑貨を得意分野としている。彼女も中国では超有名人だ。

彼らのようなKOL界のトップスターになると、年収も並外れている。李佳琦氏の年収は推定で2億元（約30億円）以上はあるといわれており、2020年春、彼が上海市内に広さ1000平方メートルの豪邸を約1億3000万元（約20億円）で購入したことは大きな話題となった。

熱烈なファンを持つ彼らを始め、Z世代に絶大な人気を誇るKOLはほかにも大勢いるが、彼らが今、最も力を入れているのがライブコマースだ。

ライブコマースは「動画の生配信とネットショッピングを合わせたようなツール」だといわれている。「テレビショッピングのオンライン版」といってもいい。10分程度の短い動画だが、それが生放送で行われ、その画面上でKOLが特定の商品を宣伝する。

視聴者はその場で質問もできるし、商品が気に入れば画面上にあるショッピングカートのアイコンを押して購入できるというものだ。

普通のネットショッピングと違い、影響力のあるKOLが目の前で商品を手に持ったり、着用したり、使ってみたりするという〝ライブ感〟や〝臨場感〟が魅力だ。

２０１８年ごろから流行し始め、「２０２０中国ライブコマース研究報告」という資料によると、２０１９年の流通額は約３９００億元（約６兆円）に達している。新型コロナによって消費が低迷した際、宣伝のために急速に広まったプロモーション方法の一つだ。

２０２０年は新型コロナで落ち込んだ経営を立て直そうと、エアコン機器大手として知られる格力電器トップの董明珠氏などが自らライブコマースを行った。これを皮切りに、有名人だけでなく、地方行政の担当者や農家、アパレルの販売員などもライブコマースを行い、地方の特産品などは、地方政府が有名なＫＯＬとタッグを組んでプロモーションに取り組んでいる。

新型コロナ後、中国では政府の推奨により、個人や商店による屋外での露店（中国語で地《ディー》攤《タン》という）販売がさかんに行われるようになったが、地方ではとくに景気が低迷しており、ライブコマースは消費奨励策の一つとして注目されている。

２０２０年11月に行われた「独身の日」のセールでは、最大手のアリババグループと第２位の京東グループの２社合わせて、日本円で12兆円の流通額となったが、これは日本の楽天の年間流通額（約４兆円）の３倍に相当する。その目玉が、２０２０年はライブコマースだった。

日本に特化したKOLの存在

日本に特化したKOLもいる。

日本のインバウンド業界などで有名な林萍在日本《リンピンザイリーベン》（ペンネーム）氏だ。林萍氏は2016年から主な拠点を日本に移し、日本について、中国の若者を中心とした幅広い層に紹介している。2020年10月現在、ウェイボーなどのSNSで約580万人のフォロワー数を誇っており、在日中国人インフルエンサーの代表的な存在だ。

林萍氏に連絡を取り、東京都内で会った。

林萍氏は江蘇省生まれ。上海の大学を卒業後、米国系の会計事務所で働いていたとき、日本に興味を持ち、日本語の勉強を始めた。

日本語を習得した後は上海にある日系のテレビ局に勤務していたが、ちょうどそのころ東日本大震災などがあり「もっと中国に日本のさまざまな情報を届けたい」という思いにかられて、2012年にウェイボーを開始した。しばらくはウェイボーを使い、半分趣味で日本の情報を発信していたが、「もっと本格的に挑戦してみたい」と思い、思い切って東京に引っ越した。

現在はＫＯＬとして、中国のＳＮＳを活用して日本企業などの商品を中国人に向けてＰＲすることが主な仕事だ。扱う商品は化粧品、サプリメント、日用雑貨、ファッションブランド、食品、観光地など多岐に渡っており、ファン層も10～60代までの男女と幅広い。ときには地方に出かけ、地方の風景を交えながら、地方の商品や観光地をアピールすることもある。

新型コロナで中国人が日本旅行に来ることは難しくなってしまったが、仕事が減っているわけではない。むしろ「日本の商品や文化に興味がある中国人はこれまで以上に増えており、日本に来られないからこそ、また来たいという需要は高まっていると感じています。中国と同じく、日本でも地方自治体が地方の商品をアピールするためにライブコマースに関心を持ってくれています」と話す。

「私は大学卒業後、いったんは安定した仕事を選び、そのことを両親も喜んでいたのですが、結局そうした生活に満足できず、チャンスを見つけて日本にやってきて、自分がやりたいことを実現できました。

当時、日本でＫＯＬの仕事をしようという中国人はほとんどいなかったのですが、だからこそ、今は日本という専門性を持ったＫＯＬになれていると思います。今、中国国内でも努

力して、新しい分野を開拓していっている若者が多いと感じています」（林萍氏）

林萍氏の言葉通り、中国では安定した仕事を求める人が一定数いる一方、かつては存在しなかった新しい職業に就こうという人が増えている。

KOLのほか、心理カウンセラー、ネイリスト、占い師、トリマー、料理研究家などの仕事も増えている。10年前には存在しなかった職業や、日本にはあっても中国では見向きもされなかった職業が、経済発展とともに次々と生まれているのである。

若者たちに広がる過剰なペット愛

若者に絶大な支持を得ているKOLだが、一般の人々も、ビリビリ動画や抖音《ドウイン》（日本のTikTok）などの動画アプリを活用し、SNSに自分の趣味や日常の様子を投稿している人が少なくない。

その一つとして頻繁に見かけるのが猫の動画や写真だ。中国では今、若者を中心に空前のペットブームが巻き起こっており、とくに人気となっているのが猫だ。

「中国ペット業界白書」（2019）によると、中国で飼われている猫は約4064万匹と過去最高で、前年比8・6％増だった。中国のペット市場は約2000億元（約3兆円）で、年々増加している。

日本でも猫ブームだが、日本では比較的高齢の2人以上の世帯で飼っていることが多いのに対し、中国では20代の若者が突出して多いという特徴がある。

なぜ、中国の若者は猫を飼うのか。

「仕事から帰ってきて、この子たち（猫）の顔を見ると、疲れが吹き飛びますね。癒されて、つい顔が緩んじゃうんです。それに、何よりもかわいいから好き」

広東省深圳市に住む女性は２０１８年ごろから猫を飼い始めた。飼っているのは２匹で「中華田園猫」という種類。日本の三毛猫やトラ猫のように中国固有の猫で非常に人気があるという。

1人で2匹の世話をするのは大変だろうと思うが、本人は「全然苦にならない。猫がいる生活は楽しいです」とイキイキした様子。ＳＮＳを見ている限り、彼女の投稿の３分の１は飼い猫に関することで、猫が心の支えになっていることがよくわかる。

この女性のように、中国の猫ブームを支えているのは若者たち、とくに95后《ジウーホー》といわれる世代で、95后が全体の35％を占めているといわれる。彼らの親世代は家庭でペットを飼うという経験をしたことがほとんどなかったので、今回が中国で初めて訪れたペットブームだ。

飼育者の80％以上が女性で、しかも単身者（独身）が約半数を占めているという特徴もある。さらに、大学や高等専門学校を卒業しているなど高学歴で、所得も比較的高いホワイトカラー、北京市や上海市、深圳市などの大都市に住んでいる女性が多い。

前述の女性は２０１７年に深圳で就職し、初めて１人暮らしをすることになったが「仕事が忙しくて、なかなか友だちにも会えない。実家も遠くて簡単には帰れない。猫は私にとって家族同然です」と話していた。

前述した上海で働く20代の男性、張氏もシャム猫を飼っている。

彼は前述した中古品を扱うアプリ「閑魚《シエンユー》」の猫ファンが集まる掲示板で知り合った人から格安で購入したと話していた。

「シャム猫を６匹飼っている愛猫家の方から８００元（約1万２０００円）という格安で購入しました。上海で人気の猫はラグドール、アメリカンショートヘア、スコティッシュフォールドなどで、価格は２０００～3万元（約3万～約45万円）くらいします。

猫は散歩も要らないし、一緒にいると癒されます。エサはネットで買っていますが、計算すると1ヵ月５００元（約７５００円）くらいだと思います」

欲しいものは何でも手に入れることができ、他人を疑うことを知らないといわれる、中国の若者たち。旧世代の中国人とはまったく違う価値観を持つ彼らだが、猫ブームの背景を探っていくと、一人っ子ならではの「孤独」や親の期待からくる「プレッシャー」といった言葉が聞こえてくる。

それだけなら理解できるが、昨今はペット愛が強すぎて、若者の間で流行している漢服をペットに着せてみたり、ペット専用のケーキや月餅の需要まで伸びているという。豊かになった若者たちの欲望はとどまるところを知らない。

第5章

美食と健康のためなら散財する

食べ残しが社会問題化しているが……

「飲食の浪費現象が深刻で、心が痛む」

2020年8月、習近平国家主席はこのように述べ、食べ残しを禁止する「光盤運動」（食べ物を残さない行動）を実践するよう通達を出した。

このニュースは日本でも大きく報道されたので記憶にある人が多いだろう。

中国人の生活習慣として、これまで客人をもてなすときには料理を多めに注文するという伝統や習慣があった。近年はそれに拍車がかかり、あまりにも贅沢になって食べ残しが増えたことや、動画サイトに大食いの映像を投稿する人が増えた。その結果、習主席が警鐘を鳴らしたのだ。

中国社会科学院などが行った調査によると、中国の都市部の飲食店で1年間に出る残飯の量は約1700万〜1800万トンもあり、これは3000万〜5000万人の1年分の食料に相当するといわれている。

習主席がこのような指示を出した背景には、新型コロナの影響で食料不足が懸念されていることがある。

中国の食糧自給率は95％と高いが、大豆などは85％を輸入に頼っている。しかも、大豆の輸入先は新型コロナの感染者が多く、関係が悪化しているアメリカ、そしてブラジルなどだ。大豆は食用油の原料となるほか、家畜の飼料にも使われている。新型コロナや国際関係の行方次第では、輸入に影響が出る可能性もある。

習主席の号令を受けて、中国の飲食店では一皿の料理を半分の量にして提供したり、すべての料理を食べ終わった顧客には割引券を配布したりするなどの工夫を凝らしているが、実際、効果のほどはわからない。

習主席は２０１３年の主席就任直後からこのような発言をしていたため、都市部では今回の号令以前からだいぶ食べ残しはなくなっていたのだが、内陸部では異なる。長年の習慣をなかなか変えられないからだ。

とくに10人以上で円卓を囲む食事会や結婚式などでは、テーブルに乗り切らないほどの料理が並ぶことが常識であり、それをしないとメンツにかかわる。

政府は危機感を募らせており、「浪費は恥、節約は栄誉だ」と唱え、食べ残し防止の法制化まで進めようとしている。

中国人の食に対する姿勢を表すものとして「民以食為天《ミンイーシーウエイティエン》」（民は食をもって天となす）と

いう有名な言葉がある。「民にとって食べることは大事なこと」という意味だ。

日本でも「満漢全席」という言葉を聞いたことがある人はいるだろう。清朝末期に始まった宴会様式で、数日間かけて食べ続ける豪華な料理の数々のことをいう。現在ではほとんど存在しないが、経済成長とともに贅沢な食生活が日常化してきていることは確かだ。それくらい、食に対して貪欲で食欲旺盛なのが中国人であり、食事にもお金をつぎ込んできた。

冷たい飲み物、生野菜も食べる中国人

しかし近年、所得の上昇とネット情報、そして海外旅行の経験により、都市部の中国人の食生活は急激に変化してきている。単にお金をかけて贅沢になったのではなく、中身や質が変わってきているのだ。

第4章で若者たちの変貌ぶりを取り上げたが、食生活の変化は、中国人の社会生活の変化を物語っている。

中国人について、ある程度知識がある日本人ならば、次のような認識を持っているのではないだろうか？

中国人は（漢方の考え方では身体を冷やすので）冷たい飲み物を飲まないものだ。

中国人は（何でも火を通して食べる習慣があるので）生野菜は食べないものだ。

中国人は（中国料理は大勢で食べるものだから）１人だけで食事しないものだ。

中国人は割り勘をする習慣はない。（お金のある人や年長者など）誰かが全部まとめて支払うものだ。割り勘はケチな人間がするものだ……。

だが、近年は大都市の人々（とくに若者）は冷たいジュースを日本人と同じように飲み、生野菜のサラダ、マグロの刺身や日本酒まで新しい食のスタイルとして受け入れている。レストランでは１人で食事している人もいるし、都市部の若者同士はビジネスライクに割り勘にしている。電子決済サービスのウィーチャットペイを使えば、１元単位まできっちり割り勘にでき、同席した人のスマホにその場で送金できる。

食や食に関連する、我々の中国人に対する漠然としたイメージは大きく覆されるようになってきている。

私自身、２０１９年に上海を訪れた際、次のような経験をした。

友人と食事中、その友人が中国料理とともにトロピカルジュースを注文したことがあった。日本では、中国料理を食べる際は中国茶か酒類などを一緒に飲むことが多いと思うが、中国のレストランではお茶は料金が高いため、ジュース類を注文する人が少なくない。だから、ジュースを注文したこと自体は不思議ではないのだが、友人が店員に「氷入りでお願いします」と、わざわざつけ加えたのを見て驚いた。

これ以前にもジューススタンドやタピオカ専門店などのメニュー表には「甘さ」や「氷の量」などの項目があり、「控えめ」「多め」など自由に選べるようになっていたのは知っていたのだが、それは若者の間にカフェ文化が浸透してきているからだと思っていた。

しかし、ジュースを注文したのは40代の女性で、とくにトレンドに敏感という人ではなかったからだ。

私は思わずその友人に「最近は冷たいジュースも飲むの?」と聞いてみたところ「だって、冷たいほうがおいしいじゃない?」と、不思議そうな顔で逆に聞き返されたのだ。

その友人はデリバリーで料理を注文する際、健康のため、必ず生野菜のサラダも一緒に注文しているという。友人だけでなく、会社で一緒にランチを取る同僚も同じだそうで、「同僚とどのドレッシングがいちばんおいしいか、いろいろ試しているんですよ」と話していた。

2015年の「爆買い」ブームのころ、日本旅行にやってきた中国人が「ホテルの朝食で初めて生野菜のサラダを食べた。中国のビュッフェで食べる生野菜と違って、日本の野菜がこんなにおいしいとは思わなかった」と話していたのを思い出したが、近年は中国でも有機野菜を専門に売っているスーパーなどがあり、健康意識が高い人の間でサラダは人気だ。

この友人の話ではないが、「日本料理店に行って寿司や刺身を食べるときは冷えた冷酒（日本酒）を合わせるのがいちばんおいしい。とくにお気に入りは『十四代』だ」とか「ランチは油ギトギトの中国料理ではなく、お気に入りのベーカリーのバゲットと自宅から持参した有機野菜のサラダ。ドレッシングも手作り」などという話も聞いたことがあり、彼らの嗜好の変化に驚かされた。

贅沢品ではなくなったコーヒー

この友人は、ランチのあとはオフィスから徒歩10分の「星巴克《シンバークー》」（中国語で『スターバックス』の意味）から「本日のコーヒー」もデリバリーしてもらって飲むと話していた。

2010年ごろまで、中国のコーヒーといえば「薄くて、まずい」というイメージを私は持っていたし、「コーヒーが好き」という中国人には1人も出会ったことがなかった。当時、中国人に「日本人のイメージは？」と聞くと、「苦いコーヒーばかり好んで飲んでいる人たち」といわれてびっくりしたものだ。

中国にアメリカのスターバックス（以下、スタバ）が進出したのは1999年と意外に早いのだが（日本進出は中国より3年早い1996年）、家庭や職場でコーヒーを飲むという習慣はなかった。5つ星ホテルの客室に設置されているインスタントコーヒーでさえまずく、スーパーでも「ネスカフェ」が売られているだけだった。「ネスカフェ」といえば、タクシーの運転手が空き瓶にお湯を入れて持ち歩く容器、という印象が強烈に残っている。

2010年代になって地場系のコーヒーチェーンが増えたことや、海外旅行に行き始めてコーヒーを飲む機会が増え、中国人の間にコーヒーが浸透し始めた。

2018年には上海市の中心部にアジア初となる巨大な旗艦店『スターバックス リザーブ ロースタリー シャンハイ（Starbucks Reserve Roastery Shanghai）』がオープンして話題になった。

私の印象では、その少し前の2017年ごろから急激に、中国人の間にコーヒーを飲む文化が根づくようになり、街中を歩いていて「個性的なカフェが増えたな」と感じるようになった。

北京市や上海市のホワイトカラーが毎朝出勤時にスタバに立ち寄り、挽き立ての1杯を片手に持って颯爽とオフィスに入っていく姿は日常的な風景となり、週末にはこだわりのコーヒーや手作りケーキを提供する路地裏の小さなカフェで、１人で本を読んだり、ノートパソコンを開いたりする若者が増えた。

中国全土のコーヒー店は２００７年には約１万６０００店だったが、２０１８年には約14万店にまで急拡大した。

私は中国を訪れる際、どの都市に行っても、定点観測の一つとして、必ず書店と病院に足を運ぶことにしているのだが、２０１７年ごろから、新規オープンしたばかりのおしゃれ系の書店に行ってみると、高い確率でカフェが併設されているようになった。

大人気店となっている上海のスタバ旗艦店

ゆっくりコーヒーを楽しみながら本を読めるスペースが多く、やわらかいソファや階段いすもある。何時間いても怒られない。私は「日本にももっとこういうコラボカフェが増えたらいいのに……」と思ったものだ。

私の記憶では、同じ時期から、中国の書店に「カフェ経営」に関する書籍がたくさん平積みされるようになった（そのほとんどが日本人のコーヒーマイスターなどが執筆した本の翻訳だ）。

北京市や上海市の安い食堂の麵料理なら、20～30元（約３００円～４５０円）で食べられるところがまだあるが、カフェのコーヒーは25～40元（約３７５円～６００円）くらいと、麵料理より高いこともある。

前述したスタバの旗艦店なら、最も安いエスプレッソでも１杯33元（約４９５円）だ。オープンして1年くらいは観光客が絶えず、いつ立ち寄っても空席を探すことが難しいほどの人気ぶりだった。

コーヒーは中国人にとって長い間贅沢品だったが、このような環境の変化により、都市部に住む人々にとっては毎日自宅でドリップして飲むなど身近な飲み物になった。

私の知る限り、中国人の「コーヒー通」の多くが、ネットで日本のカフェ情報をチェックし、訪日旅行の際には日本のカフェ巡りを楽しんでいる。

彼らの目から見ると、日本は欧米以上のカフェ先進国だからだ。

飲食アプリで人気の意外な料理店

中国で最も利用されている飲食アプリは「大衆《ダージョン》点評《ディエンピン》」という。現在は飲食に限らず、ホテルや観光地、ショッピング、映画館の予約など、エンターテインメントや生活情報全般に関するアプリとなっている。

飲食部分に関しては、日本の飲食サイト「食べログ」や「ぐるなび」と同様、飲食店の概要やメニュー、座席数、価格帯、料理写真、地図、クーポン、利用者のクチコミなどが表示されている。

「大衆点評」（アプリ）の美食の画面

日本の飲食アプリよりも各店の紹介ページが詳細で、動画なども掲載されており、あらゆる形で検索ができる。中国のどこに出張や旅行に行っても、「大衆点評」さえしっかりチェックしていれば、お店選びに困らないし、ハズレがない。外国人にとっても便利なので、私自身も中国に滞在中はよく利用している。

数年前からは日本でも利用できるようになり、日本にやってくる中国人はこのアプリを使って、中国語で日本の飲食店を簡単に検索できるようになった。訪日中国人の55％が利用しているといわれており、中国人が評価したランキングやクチコミも掲載されている。日本人には知られていないが、同アプリで、日本の飲食店は高く評価されている。ここ数年、とくに人気なのは寿司や天ぷらではなく、日本でしか食べられない各地のご当地ラーメンやブランド牛の焼き肉だ。

「大衆点評」は2003年に上海で設立された。2015年に「美団網《メイトワンワン》」と合併し、現在の社名は「美団」となっている。

2017年時点での登録ユーザー数は約6億人、月間アクティブユーザーは約2億5000万人。世界1000都市の約3300万店をカバーしており、日本の飲食店も100万店以上掲載されている。

スマホの位置を上海市に設定して「大衆点評」の「美食」の項目を見ると次のようにジャンル分けされている。

「江蘇省・浙江省料理」「日本料理」「軽食・ファストフード」「パン・スイーツ」「火鍋」「西洋料理」「バイキング」「広東料理」「韓国料理」「四川料理」「その他の美食」「カフェ」「ザリガニ」「串焼き」「東南アジア料理」「アフタヌーンティー」「麺料理専門店」「海鮮料理」「東北料理」「ウイグル料理」「ベジタリアン料理」「湖南料理」「飲茶」「北京料理」「農家料理」「家庭料理」「焼き肉」「創作料理」「中東料理」「アフリカ料理」……。

これだけでもかなり細かいが、それぞれをクリックすると、さらに検索することが可能だ。

たとえば、「江蘇省・浙江省料理」というジャンルには上海料理、蘇浙料理、南京料理、温州料理などがある。

「日本料理」ならば、懐石料理、日本式焼き肉、寿司、日本式の麺料理（ラーメン・そば・うどん）、鉄板焼き、日本式のバイキング、日本式の鍋料理……。「西洋料理」ならピザ、サラダ、ステーキ、イタリア料理、フランス料理、スペイン料理、ポルトガル料理、西洋料理のバイキング……という具合で、多すぎて数えきれない。

これらの項目ごとに、すべてランキングもある。

そのため、上海市内の○△地区にある日本料理で、日本式焼き肉店の人気ナンバーワンの店、という検索の仕方もできる。

そのほか、サイト側から（あなたへの）おススメ料理店なども出てくる。ランキングは5・0満点。私のこれまでの経験でいえば、4・0点以上ならば、相当多くの人が満足できるハイレベルのレストランだ。

中心の価格帯はジャンルによって千差万別で一概にはいえないが、2020年10月5日、「上海全域でランキングが急上昇しているレストラン」という項目があったので見たところ、上位5位以内に入っていたのは、次のレストランだった。

1位　「大隠割烹料理大隠手作」（5星中で4・97）1人当たりの価格帯は590元（約8900円）、大宇地区　日本料理

2位　「黄記大閘蟹専売店」（5星中で4・96）、1人当たりの価格帯は232元（約3500円）、新華路　上海・海鮮料理

3位　「Ultraviolet by Paul Pairet」（5つ星中で4・95）1人当たりの価格帯は5945元（約8万9000円）外灘地区　フランス料理

4位　「海底撈火鍋（新松江路店）」（5つ星中で4・94）1人当たりの価格帯は135元（約

２０００円）松江大学城地区　四川料理
5位「樽宴」（5つ星中で4・92）１人当たりの価格帯は１０６８元（約1万６０００円）世紀公園地区　江蘇料理

なんと第1位は日本料理店がランクインしていた。１人当たりの価格帯は約８９００円で、人気メニューは松葉蟹、まぐろの大トロ、ぼたんエビの刺身など。

第2位の上海蟹の店は、たまたま検索した時期が上海蟹のシーズンだったからだが、専売店だったため、価格帯は２３２元（約３５００円）と比較的安い。第3位は１人当たり約9万円という高価なフランス料理店だ。このフランス料理店はミシュランガイドに掲載されており、半年前に予約しなければならないほどの人気店。

第4位は日本にも店舗がある四川省発の人気火鍋チェーン店だ。価格は１人当たり２０００円とリーズナブルで、目新しさはないが、サービスが非常によいのでランクインしていたようだ。無作為に選んだランキングで、翌日になれば別の店に入れ替わることも多いが、奇しくも今の上海のトレンドを表すような結果となった。

1人9万円のフランス料理店もランクイン

ランキングを見てもわかるように、中国人の食の多様化は猛スピードで進んでいる。グルメ大国・日本でも世界中の珍しい料理が食べられるが、国土が広い中国の場合、国内の地方料理（郷土料理）のバリエーションが多いのが大きな特徴だ。

中国四大料理は北京、上海、広東、四川料理といわれるが、実際には国内でよく知られている「その他の地方料理」も、湖南料理、南京料理、雲南料理など10以上ある。とくに南京料理や雲南料理は有名なチェーン店があり、北京市や上海市の大型ショッピングセンターのレストランフロアに行くと、かなり高い確率でこの二つのどちらかの店舗があるほどポピュラーだ。

20年くらい前まで、中国に限らず、海外の日本料理店といえば「なんちゃって日本料理店」がほとんどだった。

現地で本国と同じ食材が揃わないという事情もあるが、日本人が食べたら、とても満足できないレベルだった。それが今では日本にあってもおかしくないほど高いレベルの料理店が中国国内に次々とできている。

その一つが「くろぎ 上海」だ。東京・港区にある日本料理店「くろぎ」が２０１８年にオープンした店で、１人当たりの平均予算は最低でも３５００元（約５万２５００円）と桁違いに高い。それにもかかわらず、地元の富裕層を中心にたちまち人気店となった。

ほかに予約が取れない人気の日本料理店といえば、「橡舎鮨 青木」（１人当たり平均２０４０元＝約３万円）、「天婦羅 天吉」（１人当たり平均１９７８元＝約３万円）などがある。

フランス料理、イタリア料理なども同様で、本場の味を求める在中フランス人、イタリア人がこぞって訪れるそうだ。高級店を挙げ出したらキリがないが、驚くのはその価格帯だ。

先のランキングで挙げた日本料理店は日本円で１万円弱、フランス料理は約９万円、中華火鍋は約２０００円とバラバラだったが、少なくとも、東京にある飲食店と比較して「中国は安くはない」ということだけはわかるだろう。

日本にはどんな分野でも「相場」というものがある。ラーメンならば５００円くらいから、高くてもせいぜい３０００円くらいまでだろう。どんぶり物なら、どんなに高級な食材がのっていても、所詮〝どんぶり〟なのだから、１万円は超えないだろう、と考えるのが一般的な日本人の感覚ではないだろうか。

だが、急速に発展した中国には、どんな分野であっても、相場というものがほとんど存在しない。むろん、中国でも、もともと安いものに関して相場や平均はあるのだが、高いものに関しては青天井で際限というものがないのだ。

考えてみれば、中国人自身も超富裕層から極貧層まで振れ幅が大きすぎるので、そうなるのは当たり前なのかもしれない。

日本では9万円のフランス料理というのは、そう多くはない。

富裕層や政治家が行くようなフランス料理店なら、そういう店はあるし、高級ワインも注文すれば金額はもっと高くなるだろう。高級懐石料理店や高級寿司店に行けば、さらに値段は張る。だが、そういう店は「知る人ぞ知る」存在であり、一般の人が行くところではない。

しかし、中国では「大衆点評」の人気ランキングに1人当たり9万円もするフランス料理店がランクインしていて、食べに行った人々のコメントが続々と投稿されている。

ほかにも「高級レストラン」と検索してみると、1人当たり2000元（約3万円）を超える店が大量にヒットした。

このように食事に高額なお金をかけられる中国人は、全国的に見たらまだ一握りだろう。だが、中国の人口は日本の10倍以上もいるので、高級店に足を運ぶことができる富裕層だけを取っても、相当な数に上る。

飲食アプリにコメントを投稿する理由は「メンツ」?

スイスの金融大手クレディ・スイスの報告書（2019年）によると、保有資産額が世界の上位10％に入る人の人口で、中国が米国を抜いて世界で初めてトップに立ち、約1億人に上った。資産が約50億円以上の超富裕層となると、アメリカが8万人以上でトップだが、それに続いているのは中国で約3000人だ。

中国の富裕層には若者も少なくない。

以前、日本旅行にやってきた20代の富裕層が「日本では『若者はお金を持っていない』と決めつけられているようで、自分が宝飾店に入っても見向きもされなかった」と苦笑していたが、確かに日本人の中にはそうしたイメージを持っている人が多いだろう。

だが、中国では異なる。

中国では、年功序列で給料がアップしていくわけではなく、実力次第で給料は大幅にアップする。若くして独立し、事業が軌道に乗れば、富裕層の仲間入りをすることも当然ある。

第4章で述べたように、親から富を受け継いだ「富二代《フーアーダイ》」（富裕層の二世）もいて、年齢や外見だけで「その人の年収」が想像できないのが中国なのだ。

私は中国の超富裕層には出会ったことはないが、日本にやってくる中国人観光客が「1週間で1000万円使った」などという話はよく聞くし、富裕層の子弟の留学生が「18歳以下でマンションを借りられず、東京・六本木のリッツ・カールトンホテルに3ヵ月住んだ」などのエピソードは聞いたことがある。

そうした富裕層が高級レストランに足繁く通っているというのは理解できる。

そして、彼らが飲食アプリに感想を投稿するのには、中国のメンツ文化が関係しているのではないかと感じる。

コメント欄に続々と書き込みをする理由は、「私はこんなに高いお店でも飲食できるほどお金がある人物なのだ」とアピールできるからであり、中国人の自尊心を満足させることにつながっているからだ。

本章の冒頭で書いた「食べ残し」問題とも関係するが、食べきれるかどうかに関係なく、大量の料理を注文する背景には、「同席者に気を遣う」という以上に、自分のメンツを満足させるという面もあるだろう。

第1章で紹介したように、中国人の所得の上昇率を考えると、食費に相当なお金をかけている人がいてもおかしくない。それはむしろ当然の流れだ。

中国の飲食アプリをじっくりと眺めてみると、その充実ぶりと贅沢ぶりに驚かされる。一般的な日本人と比較すると、食事にかける情熱と金額は半端なく、中国人のあふれるばかりのエネルギーは、食事にかける情熱と比例しているような気がしてならない。

中国に増えてきた「健康オタク」

美食に目覚めた中国人だが、健康についての意識も10年前とは比較にならないくらい高まっている。かつて中国では、太っている＝裕福であることの象徴のように思われていたが、今では富裕層であればあるほどスタイルを気にしてダイエットに励んでおり、健康に対する意識も高い。

若者も同様で、健康とスリムな体形維持のため、都市部ではスポーツジムに通うことが流行っている。

第4章に登場した29歳の張氏は新型コロナが発生して以降、以前よりも健康に気を遣うようになり、香港系の高級スポーツジムに入会した。

張氏は「費用は1ヵ月1２００元（約1万８０００円）です。上海の一般的なジムなら3

年契約で6000元（約9万円）くらいの安いところもありますから、ここはかなり高級なほうですね。私はパーソナルトレーナーもつけていて、費用は1回260元（約3900円）かかりますが、ジムに行けば仲間もいるし、いろいろな機材も使えるし、身体を鍛えられます」という。

彼は料理も得意で、週末は自宅で肉料理やサラダ、ときにはパエリアなどを作ることもあるが、健康維持のためにプロテインなど健康食品にも毎月350元（約5250円）ほど投じている。

「健康に気を遣う」といえば、2015年の「爆買い」ブームのとき、中国人が日本で購入する「12の神薬」が話題になった。

「12の神薬」とは来日する中国人観光客のSNSで大人気となった日本の代表的な医薬品ブランドで、「イブクイック」、「サカムケア」、「熱さまシート」、「龍角散」、「サロンパス」、「命の母A」などのことだ。これらに加えて、「青汁」や「養命酒」、「大麦若葉」なども売れた。当時、日本でこれらを購入して健康食品の魅力にハマり、それをきっかけに、中国に帰国後もネット通販で定期的に購入し、飲み続けているという人はけっこういる。

中国は漢方薬の本場だが、日本のドラッグストアに行けば、簡単な顆粒タイプの漢方薬も含め、中国よりも手軽に飲める医薬品や健康食品の種類が圧倒的に多い。日本に来た人からは「日本のマツモトキヨシで売っている商品をすべて購入して持ち帰りたい」という声さえ聞かれたくらいだ。

中国人と健康意識というと、私の脳裏には、公園で体操をしたり、広場で太極拳をしたりしている中高年の姿が思い浮かぶ。彼らはできるだけ自分で鍛錬して健康維持に努めている。

中国の大病院に行くと、常に大勢の患者が並んでいて、診察や治療に時間がかかるのが日常茶飯事だ。そのため、多くの中国人は、できるだけ病院にかかりたくないと思っている。その気持ちが自己鍛錬の意識や健康オタクへとつながっている。

経済的に豊かになれば、欲しいものはたいてい何でも手に入るようになるが、「健康」だけは必ずしもお金では買えない。新型コロナが発生して以降は、そうした気持ちがより強くなっているようだ。

コロナ禍の武漢での食生活は……

2020年2月下旬、私は新型コロナで最も多くの感染者を出した湖北省武漢市に住む20

代後半の女性、陳文希氏（仮名）に連絡を取ってみた。

電話をかけてみると、陳氏の声は案外明るかった。新型コロナがまだ収束していない時期で、日本では武漢の悲惨なニュースが連日のように流れていたので心配していたのだが、逆に日本のことを気遣ってくれた。

「私はもともとオタクだったので、1ヵ月以上、家に閉じこもる生活でも大きな不自由は感じていません。でも幼いお子さんがいる家庭や、高齢者だけの家庭にとって、家からほとんど出られない生活は相当過酷だったと思います」

武漢の人口は約1100万人。武漢市はおおまかに漢陽、漢口、武昌という三つの地区に分かれているが、陳氏が住む武昌区は30以上の大学が密集している文教地区。彼女はここで大学の講師をしている。

取材したときは大学が休校中で、大学に近い陳氏の自宅付近も「それほど緊迫した雰囲気ではなかった」そうだ。

両親も同じ湖北省内の別の都市に住んでいるが、彼女は春節期間に実家に帰省しなかったため、そのまま武漢市内に1人で留め置かれることになってしまった。以来、両親とはSNSでしか連絡が取れない状態が続いていた（4月8日のロックダウン解除後にようやく会えたと後日聞いた）。

ロックダウンされてからの1ヵ月以上、どんなふうに日常生活を送っていたのか。とくに食料確保のことが気になった。

彼女はまず自分が住むマンションの状況から教えてくれた。

「私が住むマンションは数棟あり、それらが一つの小区《シャオチー》（エリア、敷地）になっています。この敷地内だけで4000～5000人くらい住んでいます。食料品は1月中旬までは自分で調達していましたが、ロックダウン後は、敷地の外に出ることが一切禁止されましたので、同じマンションの管理人が一括でネットスーパーに注文を出すシステムに変更になりました。支払いはすべてスマホ決済のウィーチャットペイで行っていますので、銀行にお金を下ろしに行ったりする必要はありません」

しかし、ネット注文といっても、何でも欲しいものが手に入るわけではないという。

「今は非常時なので、セット販売の商品（肉と野菜のセットなど）や、コメ、油などの必需品などしか買うことができず、選択肢は多くありません。食料品の価格は一時的に高騰したのですが、今は安定しています。何とか買うことができた食材を組み合わせて、自分で炒め物など家庭料理を作ってしのいでいます」

じゃがいもや人参など日持ちする食材や冷凍できる肉や魚はいいが、葉物野菜や傷みやすい果物は入手困難だった。同じ武漢市内に住む友人の中には、「ベランダで野菜を栽培して、少しでも食料を自給できるように工夫していた」という人が少なくなかった。

家族がいる家庭では3日に1回はネットスーパーを利用しているようだったが、彼女の場合は2週間に1回だけ、大量にまとめ買いしていた。まとめ買いの金額は日本円にして1万円程度。月2回の買い物で2万円ほどの出費だった計算になる。

陳氏によると「ふだんは外のレストランもけっこう利用していたので、もっと食費はたくさんかかっていましたが、ロックダウン後はできるだけ節約していました。ずっと家にいるのでお腹もすきませんし……」

注文した商品は、敷地の大きなゲートに届くと管理人に連絡が行き、そこから各棟の居住者にウィーチャットで知らせが入った。「密」にならないよう、番号を割り振られ、自分の順番の時間になったら、スキーウエアを着てゴーグルをつけ、スーツケースや段ボールなどを持って、1階まで大量の食品を引き取りに行っていたという。

陳氏の場合はコロナ禍でも毎月の給料はきちんと振り込まれ、生活に困ることはなかったが、職を失った人や、給料が500元（約7500円）にまで減額されてしまった人もいた。

図表5-1　新型コロナ（2020年1月24～2月14日）で売れた商品ランキング

1	理髪器（電動バリカン）
2	口紅（口紅）
3	瑜伽墊（ヨガマット）
4	打蛋机（卵泡立て器）
5	眠衣（パジャマ）
6	手机支架（スマホホルダー）
7	吃鸡神器（荒野行動コントローラー）
8	教辅教材（教育教材）
9	家用乒乓球训练器（家庭用卓球練習マシン）
10	避孕套（コンドーム）

（出所）拼多多新消費研究院

飲食店の倒産も多く、その傷は新型コロナが発生して一年経っても癒えていないという。

コロナ禍でヒットしたものランキング

コロナ禍の中国ではどんなものが売れていたのだろうか。

中国版グルーポンといわれる「拼多多《ピンドウドウ》」では２０２０年１月下旬から２月中旬までに最も売れた商品トップ10を発表した。「拼多多」は２０１５年から始まったアプリで、登録ユーザー数は２０１８年の時点で約４億人に達した。

それによると1位は電動バリカン、２位は口紅、３位はヨガマット、４位は卵泡立て器、５位はパジャマ、６位はスマホホルダー、7位は荒野行動（ゲーム）のコントローラー、8位は教育用教材、9位は家庭用卓球練習マシン、10位はコンドーム、の順となっている。

このランキングについて、東京・新宿区で、中国でのウェブマーケティングに特化したサービスを日本企業向けに展開しているクロスボーダーネクスト社長の何暁霞氏は次のように分析する。

「新型コロナの自粛期間中、中国人が最も困ったことが散髪できなかったことだといわれており、バリカンやシェーバーが爆発的に売れました。2位の口紅については『外出しないのになぜ？』と思われるかもしれませんが、逆にこの時期だからこそ、家の中で口紅をつけて気分転換を図ったり、外出できるようになったらこの口紅をつけよう、という気持ちを奮い立たせていたのではないかと思います。

また、ヨガマットなどの健康器具も数多く売れました。自宅にいる時間が長く、運動不足だと思った中国人が多かったようです」

ほかには、「除菌」というキーワードで検索する人が多く、「除菌冷蔵庫」「除菌洗濯機」「除菌掃除機」なども売れた。

「中国でも家庭で料理をする機会が増え、SNS上では『炊飯器ケーキ』が人気を博しました。炊飯器で簡単に作れるおやつです。おやつ作りに欠かせない材料が卵で、そのため卵の泡立て器など調理道具が売れたのです。拼多多によれば、泡立て器の売上高は前年比260%も増加しました」（何氏）

日本でもコロナ禍でホットケーキミックスが売り切れるという現象が起きたが、中国でも家庭で料理する機会が増えたという共通点があった。

ネットで全国の特産品を購入する主婦

2020年3月下旬。私は湖北省に次いで感染者数が多かった浙江省の省都、杭州市に住む50代の女性の友人、趙非氏（仮名）にも連絡を取ってみた。彼女の夫は機械部品関係の企業に勤務しており、本人は専業主婦。子どもはいないので、2人暮らしだ。

「今は（だいぶ収束してきた時期なので）少しだけ安心した気持ちと、まだ油断はできないという気持ちの半々です。我が家の場合、同じマンションにイタリア帰りの人がいて怖いので、まだ食料品の買い物以外では外出していません。でも、徐々に日常生活に戻ってきており、雰囲気としてはかなり明るいです。

いちばん大変だった2月ごろは、食品はほとんどネットスーパーで買っていましたが、うちのマンションでは、新鮮な野菜と果物だけは近所の市場まで買いに出かけることが許されていました。地区ごと、マンションごとに管理の厳しさの度合いは異なります。中国の場合は、日本人が想像するように、何でも全国一律、というわけではないので」

確かに、同時期に北京や上海などでも聞いてみたが、マンションによって管理はかなり異なるようだった。

巣ごもり中、お金はどのように使っていたのだろうか。

「ネットでいろいろなものを買い込んでいました。私たちは2人とも北京出身なので、北京の伝統的なお菓子とか、乾麺を買いました。ほかに山東省のニラ（野菜）、雲南省のキノコ、山菜など、地方の特産品をネットで調べて、おいしそうなものがあれば、それらを取り寄せて食べていました。

友だちは家でカラオケをしたり、毎日のように太極拳をしたりしていましたね。自分の日常生活の動画を撮って、動画アプリに投稿している人もいました。ふだんはあまり電話しない親戚とも、あの時期はよく電話してストレスを発散していました」

趙氏が「コロナ禍でも幸いだったこと」といっていたのは中国の物流事情だ。新型コロナが最も大変だった時期でも、封鎖されていた湖北省を除いて、全国の物流はほぼ滞りなく、宅配便も通常営業していた。

日本でもネット通販の需要が高まったが、もともとネット通販が日本より発達していた中国では尚更だった。

彼女が住む杭州市の自宅には、北は黒竜江省から南は広東省まで、全国から発送された商品が、ほとんど翌日か翌々日には届いていたという。

「数百キロ、ときには１０００キロも離れたところからおいしい食品が届くのですから、本当に助かりました。もちろん、自由に外出できないつらさはありましたが、食料品は絶対確保できるという安心感が唯一の救いでした。

杭州ではフードデリバリー（出前）も問題なく、料理を作るのが大変な人は、かなりデリバリーを利用して生活している人が多かったと思います。全食、デリバリーという人もいたのでは……。中国では1人前でも配送料はとても安いし、一度に2回分の料理を注文して冷蔵庫に入れておき、それを分けて食べているといっていた人もいました。我が家の場合は、デリバリーといえども、誰が触ったかわからないため、用心して注文しなかったのですが、もし、今のように便利なデリバリーのシステムがなかったら、中国は大変なことになっていたと思います」

ランチも夕食も出前で済ます

中国のフードデリバリー文化はスマホでの電子決済サービスを導入したことで、２０１５年ごろから急速に発達した。

私もここ数年、中国の街を歩いていて、頻繁にデリバリーの配送員を見かけるようになった。とくに多いのがお昼どきだ。午前11時すぎになると、オフィスビルやマンションの前にランチの配達にきた配送員のバイクがたくさん駐車し始める。

中国の２大フードデリバリーといえば「美団外卖《メイトウワンワイマイ》」と「餓了麼《ウーラマ》」だ。「美団外卖」は総合プラットフォーマー「美団」のデリバリーアプリ。「餓了麼」は２００８年に上海で設立し、現在はアリババグループの傘下にある。

中国でデリバリーの配送員を見かけたら、「美団」の黄色のジャンパーか、「餓了麼」の青色のジャンパーのどちらかを着ている可能性が高い。

上海市の企業で働く30歳の男性は、打ち合わせなどで外出するとき以外、ランチはすべてデリバリーを利用していると話していた。「デリバリーは30分以内に届くので、忙しいときでも便利だし、雨の日は外出しなくて済むので助かる」という。

「注文するのはあんかけご飯とか麵類など、一皿で完結する料理が多いですね。値段は20〜50元（約３００円〜約７５０円）くらい。ドリンクを追加で注文するときもありますが、そうすると70元（約１０００円）くらいになります。でも、外に出かけて食べるよりも安いし、時間の節約にもなります」

この男性は夕食に利用することもある。

「地下鉄で４駅離れたところに住んでいるので、いつも会社を出て、地下鉄のホームに着いたら好きな料理をアプリで注文しておきます。家に帰って着替えたら、ちょうど料理が届く時間なので便利です。週末も出かけないときは利用しますね。自炊はしていないので本当に助かるんです」

上海から近い江蘇省無錫市に住む知り合いの30代の男性もデリバリーをよく利用しているといっていた。その男性は、昼は会社の社員食堂で食べ、夕食や夜食にデリバリーを活用している。

「新型コロナが起きて以降、夕食はほとんどデリバリーです。日本料理とか韓国料理もある。できるだけ野菜を食べようと思って、野菜炒めも単品でよく注文します」

中国のフードデリバリーは日本の「ウーバーイーツ」や「出前館」と同様、特定の店の商品を、そこの配送員が運んでくるわけではない。飲食店と配達する人は別々なので、たくさんのジャンルの飲食店から自分の好きな料理を選ぶことが可能だ。

中国の市場調査会社アイリサーチによると、２０１９年の中国食品デリバリーの市場規模は約６５００億元（約９兆７５００億円）で、前年比で約40％増加した。２０１９年末の利用者は約４億６０００万人で、利用者の８割近くが40歳以下だ。

しかし、新型コロナが発生して以降は家庭ですごす時間が増えて、若者に限らず、家族で食卓を囲む場合にもフードデリバリーを注文する人が増えたといわれている。

配送員の目に光る温かい涙

これだけフードデリバリーが発達した背景には、それを一つひとつ配送する配送員たちの存在がある。北京や上海などの大都市で働く配送員の70％以上は地方出身者で、いわゆる出稼ぎ労働者だといわれている。

彼らはフードデリバリーを注文する若者と同世代で、男性が90％以上を占める。一回の配達料は５〜10元（約75〜約１５０円）で、多くの場合、収入は歩合制だ。

美団研究院のレポートによると、配送員の約30％が月収５０００元（約７万５０００円）

程度という厳しい境遇で働いている（ベテランになれば、月収8000元（約12万円）以上という人もいる）。

2020年4月下旬、私は中国のSNSで話題になっていたニュースをたまたま目にした。それは武漢で働く配送員の次のようなエピソードだった。

ある日、ケーキショップから配達する商品を受け取ろうと店にやってきた男性配送員は、注文書の備考欄に目が留まり、思わずその場に立ち尽くした。男性は何度もケーキショップの店員に確認してみたが、間違いないという。そこには、注文書の受取人として、なぜか自分の名前が書いてあったのだ。

備考欄には「このケーキは配送員さんへのプレゼントです。配送員さん、毎日お疲れさまです。身体にはくれぐれも気をつけてくださいね」という手書きのメッセージが書かれていた。配送員の目は見る見るうちに涙で潤んでしまった。なぜなら、その日は配送員の誕生日だったからだ。

その後、配送員は店の外にある石段に座って箱をそっと開け、中に入っているケーキを一口ずつ味わいながら食べた。食べているうちに涙が次から次へとあふれてきた――。

実際に店舗の入り口に設置されていた防犯カメラに映った映像を見ると、男性は手に小さなケーキを持っていて、ロウソクの炎もかすかに見える。男性の表情まではよく見えなかったが、頬に流れる涙を手で拭っているようにも見えた。

この動画を見た人々はSNSに「見ているこっちのほうも泣けてくるよ」「なんていい話なんだ」「新型コロナの影響で物流の量が増えたので、配送員さんたちは本当に大変だったよね。配送員さん、ありがとう。そして、誕生日も私たちに配送するために、夜遅くまで働いてくれてありがとう！」というコメントを書き込んでいた。

中国のニュースサイト「人民網」によると、以前にも増して過酷な労働条件で配達を続ける彼らに対して、感謝する人々が増えており、ほかにも、この男性が受けたように注文者が配送員のために料理を注文するというケースもあるという。

記事には実際の注文書の写真も証拠として掲載されており、「配達のお兄さん、この料理のうちの一つはお兄さんの分です。どうぞ召し上がってください」と書いてあった。

配送員は雨の日も風の日も1日中バイクを走らせ、1分1秒を惜しんで飲食店と配達先を駆けずり回る日々を送っている。

中国では注文する側も配送員も、お互いに相手を評価するアプリがあるため（配達の際の手際や予定配達時間に間に合ったか、などを評価し、サービスに反映させたり、個人の信用度をチエックするシステム）、最近では配送員の到着がほんの少し遅れたからといって、注文者から心ない罵詈雑言《ばりぞうごん》を投げかけられるようなことはかなり減った。

だが、それでも、何らかの事情で配送が遅れたら、ペナルティとして自分の収入にも響くなど、彼らが置かれている環境は依然として厳しく、プレッシャーは大きい。

とくに上海市などでは地方出身の配送員に対する偏見や差別もある。

その一方で、注文者と配送員は直接チャットでやりとりすることができることから、自然と親近感も湧くようになった。だからこそ、顔見知りになった配送員にケーキを贈るという粋な計らいが生まれたのかもしれない。

第6章

給料だけではわからない本当の懐事情

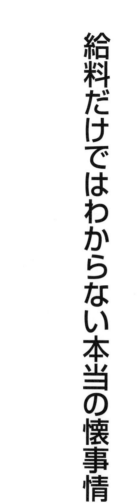

「相場」を気にする日本人

上海市中心部、地下鉄「上海体育館」駅から徒歩数分の距離にある宜家家居《イージアジアジー》（イケア）。日本でもよく知られているスウェーデン発の家具・雑貨を扱う店だ。上海市内には数店舗あり、日本発の「ニトリ」などと並んで幅広い層に人気がある。

２０２０年春、北京市から上海市に転職のため引っ越してきたばかりの徐剛氏はここで組み立て式の家具を購入した。

「自分でやるのは難しかったので、イケアの公式サイトを見てみたら組み立てを請け負う業者の料金と作業日が表示されていました。それを見て、業者に電話しようとしたのですが、でもちょっと……と思い、ネットでほかの業者も調べてみたのです。

すると、便利屋がたくさん見つかって、もっと安い料金で、しかも、今すぐに組み立てをしてくれると書いてありました。中国ではこのようなことは実際によくあることです」

このようなこと、とは公式の料金とは別の「裏料金」が存在する、という意味だ。

徐氏は以前、日本に住んでいただけに日本人の考え方や日本の事情にも詳しい。

日本で長く生活していたため、「自分はつい、公式サイトに表示されていたイケア公認の

〝表の業者〟に安易に電話しようと思ってしまったのですが、普通の中国人ならば、そんなことはまずしないでしょうね」といって苦笑する。

内装工事やパソコン修理などでも同様だが、公式ルート以外にそれを請け負う業者がいくらでもいて、料金はあってないようなもの、だというのだ。

一方、徐氏の分析によると、日本人は何かの支払いをするとき、安心感のある公式の業者に依頼することはもちろん、世間の「相場」をとても大事にするという。

「たとえば、日本人は引っ越しをするとき、とりあえず、有名な引っ越し業者から選ぼうとしますよね。2～3社くらい見積もりは取るかもしれませんが、最終的に、こっちのほうがちょっと高いけれど、ここの仕事なら間違いないし、世間の評判もいいといって決めたりする。自分にとって高いか安いかということや、他人はもっと安い値段でやっている、ということはあまり考えない。それよりも、世間の目から見た評価を気にすると思います」

いわれてみてハッと気がついたが、確かにその通りだ。

第5章でも少し触れたが、日本人は何かの料金を知りたいと思うとき、「相場」をとても気にする。「東京都○△区の家賃相場は？」や「○○のときのご祝儀の相場は？」「ＩＴ企業の初任給の相場は？」というように、相場や平均を聞きたがり、それを知ることで納得する

（納得させられる）場面が多い。

たとえ自分にとって「それはちょっと高いな……」と思っても、その相場から外れる金額にすることを不安に思う。皆が納得してその金額で買っているのだし、世間の相場通りの金額であれば無難だと受け止めるのだ。

逆に、相場よりもあまりにも安い料金だったら「得をした」とは思わず、「そんなに安くて大丈夫だろうか。何か裏があるんじゃないか」と思ってしまう。

しかし、前述したように中国人は違う。

中国に限らず、東南アジアやアフリカなどでも同様だが、一物一価ではない。別のルートや価格が存在するだろうと考え、とことん調べたり、自分のネットワークを駆使したりして、もっと安い料金でできないかと、さんざん頭をひねって考えるのだ。もちろん、今の中国人は「安いからいい」ではなく、別ルートでも安くてよいサービスを求める。

とことん考えてから買う中国人

徐氏は続ける。

「中国の天猫《テイエンマオ》（Tモール）や京東《ジンドン》（JDドットコム）などのECサイトを見ていると、価格が頻繁に変動するのがわかります。ずっと同じ料金ではないのです。もちろん、日本のネット通販でも変動はあるのですが、中国ではそれがもっと激しい。そのためいつ、どんなタイミングで買うのが最も得するのか、いつも値段をチェックしている。ある種の『賭け』みたいなものであり、どんな人でもそれを考える癖がついています。

日本人は『そこまでするのは面倒くさい』と思うのかもしれませんが、商人的な気質がある中国人は、変動する価格の中で、自分がどれだけ得をする買い物ができるか、楽しんでいるような面があります。

一方、中国では、消費者が賢いだけに販売するほうも必死で、あれこれ策を考えます。年間でこれくらい買うと、どれくらいの割引率にするとか、まとめ買いをすると、これくらい還元する、といった感じで趣向を凝らしています。

中国では自分の頭を使わないで、相手からいわれるままに支払ってしまうと、損をする可能性が高い。他の人よりも割を食ってしまう。そうしたことが長年の経験から身体に染みついている。逆にいえば、日本では、いわれるままに支払っても、大損はしない。たいして騙されないし、たいして騙しもしない。だから、それでいいんだと思うのだと思います」

徐氏は「プライス・ディスクリミネーション」（差別的価格設定）という言葉を教えてくれた。

需要に合わせて価格設定が変わり、いつの価格で購入するかによって他人と大きな差がついてしまうということだ。

こうしたことが日常茶飯事の国だから、中国人は自分が損をしないように、常に情報収集を怠らないという。

「プライス・ディスクリミネーション」にはさまざまなものがあるが、私はこの話を聞いていて、自分が日本で海外ドラマのDVDを購入したときのことを思い出した。

私はいつも日本人の友人のツテでDVDを安く購入していたのだが、販売元は在日韓国人だった。友人の話によると、彼らは中国人と同様、頻繁に、しかも意図的に価格をコロコロ変更するという。

たとえばAさんはよくDVDを購入するので40%引きの大サービスをする。でも、Aさんの友人のBさんはたまにしか買わないので、同じドラマを買っても20%引きの価格だ。そのことをBさんは友人であるAさんから聞かされるまで知らなかった(AさんとBさんが友人同士であることを販売元は知らない)。

しかし、Aさんがしばらく購入しないでいると、Aさんの割引率は下がり、逆にBさんのほうが安く購入できるようになる……というふうに操作している。しかも、それを大勢の人に対して細かくコントロールし、実施している。

このような小刻みな価格設定は、日本ではあまり行われない。○月△日までに申し込んだ人なら、一律30％引き、という平等なサービスはあるが、日本では人によって値段や割引率を頻繁に変えるというような複雑なことはしないし、まして1日で同じ商品の価格が大きく変動する、ということもあまりない。

商人の町・大阪などでは多少あるが、日本人全体の気質ではない。

一般的に商品を買うとき、「そのような価格変動があり得るのだ」ということ自体、そもそも日本人はあまり考えたことがないだろう。

日本のような環境で生活していると、モノやサービスの価格に対して無頓着になってしまいがちだし、感覚が鍛えられないが、徐氏は「在日中国人は違いますよ」と話してくれた。

SNSで助け合う在日中国人

在日中国人は、日本に住んでいても「中国人的気質」を持っている人が多いため、公式的な金額をそのまま受け入れず、もっと安い金額でできないかと、いったん考えるのだ。

彼らは同じ出身地同士、同じ大学同士など、それぞれウィーチャット内のグループでつながっていて、そこで情報交換しており、子どもの塾探しから日本企業内での人間関係まで、さまざまな問題を相談して解決したり、助け合ったりしている。

先に述べた引っ越しの例なども同様で、たとえば、日本の大手の引っ越し業者に頼めば20万円かかるが、在日中国人のSNSで呼びかけてみる。すると、以前引っ越し業者のアルバイトをやっていた中国人がその投稿を見て、仲間と一緒に15万円で請け負ったりする、という可能性がある。

家の修理を頼むときも、ネット広告で見かけた見ず知らずの工務店に頼むのではなく、在日中国人の仲間からそういう仕事ができると紹介された「信頼できる人」に頼む。その上、できるだけ安くしてもらえるように交渉もする。

日本に住む信頼できる仲間のSNSに呼び掛けてみることで、「表の料金」よりも安くできる。

このような考え方は、もちろん料金面で損か得かという問題もあるが、根本的には彼らが日本社会のマイノリティー（少数派）であることが深く関係していると思う。

日本人を信頼していないわけではないが、日本語は母国語ではないので、日本人とまったく同じようにコミュニケーションを取っているわけではない。同じ中国人同士で、信頼できる人が集まっているところに問い合わせるほうが安心できるのだ。

それは海外に住む日本人も同様で、どんなにアメリカに長く住んでいても、アメリカ人とまったく同じように情報収集できるわけではない。信頼できるアメリカ人の友人もいるだろうが、母国語でコミュニケーションできる日本人がそばにいたら、おそらくそちらを頼りにしてしまう。それと同じことだ。

これは第４章で紹介したＫＯＬの存在とも少し似ている。ＫＯＬはテレビコマーシャルに出てくるタレントではないが、自分の信頼する有名人だからこそ、その人が宣伝すれば、そこから購入するというロジックで、消費行動を取る動機のベースには「信頼関係」が存在する。

一方、本国の中国では、必ずしも「コミュニティの中の人」だけでは物事は完結しなくなっている。

経済が急速に発展し、新規ビジネスが続々と増えている中国（とくに都市部）では、かつてのように、身内や同級生といったつながりを重視したコネ社会は少しずつなくなってきており、何かあったら知り合いに頼むだけでは事足りない。新たなビジネスパートナーを求めて、飛び込み営業も増えているし、新しい人脈も拡大している。

だが、異国で助け合って生きている中国人同士の場合は母国とは異なり、マイノリティーであるがゆえに、むしろコミュニティ内の人間関係は強固になり、昔ながらの中国人的なコネが生きている。

新型コロナの感染が拡大したことをきっかけにして、日本で流行している「ウーバーイーツ」のようなデリバリーも、在日中国人のSNS内だけで行われている。たとえば、在日中国人が多い団地では、団地内で料理が得意な人が毎日料理を作り、それを同じ団地や近距離に住む中国人だけのSNSのグループに写真つきで投稿し、「お友だち価格」で提供している。

その地域内に住んでいれば、「ウーバーイーツ」を頼むより安いだけでなく、本格的でおいしい中国料理を、知り合いから直接配達してもらえる、といったメリットがある。

そこでも、注文回数の多い人は30％引き、たまに注文する人は20％引きといった価格の差別化を行い、リピーターを増やすなど、さらなる売り上げ増につなげている。

すき間時間を利用して「小商い」

新型コロナの影響で日本中が深刻なマスク不足に陥っていたときには、ようやく手に入ったマスクを転売していた専業主婦もいた。毎朝、ドラッグストアの列に並び、50枚入りのマスクを1箱だけ購入できたら、それを5枚ずつ小分けにして、近くに住む中国人10人に、自分の手数料分を上乗せして販売するのだ。

価格はたかが知れているし、そこでボロ儲けするわけではない。同じ在日中国人からは「この時期にそんなことをしちゃいけない」と注意する人もいたが、そこに需要があるとわかれば、自分のすき間時間を利用して「小商い」を行う人もいる（その一方、やっと購入できたマスクを街頭で、無償で日本人に配る中国人も多かった）。

ここ数年、在日中国人のアルバイトとして増えたものの一つに、「代理購入」（略して代購《ダイゴウ》という）がある。

中国に住む知り合いが欲しい商品を日本のドラッグストアなどで本人の代わりに購入し、中国に郵送して利益を得ることだ。日本に住む中国人主婦や大学生などが多かったが、これを本職としてやる人も増え、会社を立ち上げた人もいる。

ほかに書類作成が得意な人は、知り合いの代わりにビザ申請書類を代筆してあげたり、旅行代理業の経験がある人は、中国への航空券を安く手配するアルバイトをしていた人もいた。いずれも正式な収入として表面には表れないお小遣い稼ぎだ。

中国国内で今も多くの人が取り組んでいるものといえば「微商《ウエイシャン》」がある。

自分のウィーチャットのタイムラインを利用して、そこで商品の宣伝を行い、欲しい人はウィーチャットペイで支払う仕組みのことだ。

私のウィーチャットの「友だち」にも「微商」をやっている人が数人いる。扱っている商品の多くは化粧品で、日本や欧米のブランドが多い。

宣伝文句などを見ると、誰かが書いた文章をそのまま使い回ししているようだが、そこに注文が入れば、お小遣い稼ぎになる。これをやっているのは会社員やネット系のビジネスをしている人、大学生などいろいろだ。すき間時間を利用して行えるので、副収入になる。第4章で紹介したKOL（中国版のインフルエンサー）なども同様で、最初は趣味で始めたが、そのうち人気が出て、高収入を得る人もいる。

このような中国式商売は、日本を始め、中国人が住んでいるところなら、世界中どこでも行われている。

中国で問題視された灰色収入

日本人が中国人の収入や家計を見る上で盲点となっているのが、このような副収入や副業の存在である。さらに、それ以外の「あること」による収入もある。

「あること」とは、昔から中国にあった灰色収入《フイスーショールー》のことだ。灰色収入とは合法と非合法のちょうど中間にある、文字通りグレーゾーンの収入（主に仲介料や手数料など）を指す。

中国では地位や権力のある人が給与以外の収入を得る機会が多く、灰色収入を得られるのは、比較的給料は安いが、公的権限の大きい公務員や国有企業の管理職などだ。

たとえば政府のある部門が土地開発や天然資源などに関する権限を握っていて、それに関連するビジネスなどを裏取引で決めることにより利益を得たりする。

そうしたこととは異なるが、２０１４年ごろ、私が直接知り合いから聞いたのは、こんなびっくり仰天する話だった。

都市戸籍を手に入れたい地方出身者が、北京市や上海市などの大都市の公務員とこっそり養子縁組をして、その公務員の「子ども」となり、都市戸籍を取得するという話だ。公務員は養子縁組をする便宜を図ってあげた見返りとして、１人につき20万～30万元（当時のレートで約３６０万～約５４０万円）も裏金を受け取っていたという。私が耳にした話では、ある公務員は20人以上もの人と養子縁組をしていたというから、それだけで、日本円にして７０００万円以上の副収入があったことになる。

ほかにも、ある職業に就いていることで特定の権限を持っている人なら、給料とは別の収入を得ることは可能だ。

しかし、2013年に習近平体制になって以降、状況は一変した。

汚職撲滅キャンペーンを行ったことや、灰色収入のきっかけとなりやすい接待や出張などを大幅に減らしたことにより、このような公務員の灰色収入は表面的にはほとんどなくなった。在中日系企業などでも、日本人幹部と中国政府関係者との会食の場は、コロナ禍とは関係なく、数年前から減少したと聞く。

賄賂防止の考え方から、非常に細かいところにまで厳しい目が光るようになったのだ。たとえば日本人が現地企業を表敬訪問する際、菓子折やタバコなどの手土産を持参することがある。事前のやりとりなどでお世話になった担当者に個人的に渡そうとすると、「個人的には受け取れない。上司に報告します」ときっぱりといわれることも増えた。

だが、かつて当然とされた灰色収入は、中国のGDPの1~2割にも上るといわれていた。また、灰色収入を得られる立場の人の財産は、そうではない立場の人より1・8倍も多いという調査報告もある。それらはすべて表面には表れないお金だ。

大学教授がしている意外な副業

日本でも政府による「働き方改革」の推進や、コロナ禍の影響で本業の収入が減少したことにより、副業の存在が注目を集めている。大手企業の中には副業を正式に認可するところも出てきている。

働き方の多様化が求められ、日本人の意識も少しずつ変化してきていることは確かだが、日本人全体としては、副業はあくまでも副業であり本業ではない、という認識の人がまだ多いのではないかと思う。

中国の場合、ずっと以前から副業はごく自然に、生活の一部として、当たり前のように行われていた。中国人はもともと「正業」「副業」という意識はあまり持っていないので、すき間時間でやっていた副業でもし成功すれば、そちらをより熱心に行う、あるいは正業のほうをやめるというだけだ。

本章の冒頭で紹介した徐氏はある大学の准教授で、年齢は30代前半。給料は手取りで１万７０００元（約25万５０００円）ほど。住居は大学の教員用の２ＤＫの寮で、家賃は社宅扱いなので１０００元（約1万５０００円）。妻も働いており生活に困ることはないが、他の教授たちと同じく、副業を行っている。

彼や同僚たちが行っている副業は、企業や他大学などから招かれて行う講演会や、地方政府の政策に関するコンサルティング、資料作成などだ。官公庁から依頼され、研究プロジェクトのメンバーとなれば、そこでも報酬を得ることができる。ほかに専門学校などで教えることもある。

彼の場合、副業は単発の仕事なので、金額はそれほど多くはないが、教授によっては大学の給料の何倍もの報酬を手にしているという。

「1回の講演会だけで数万元ももらえるという先生もいますし、企業の顧問をしている方は年間で数十万元の追加収入があります。商売をしている方や、ベストセラー本を何冊も出版している先生もいますね。中国の特徴は、優れた論文を執筆すれば、それに報奨金が出ることで、論文＝収入です。

ですから、大学の給料が手取り2万元（約30万円）でも、実収入は8万元（約120万円）とか10万元（約150万円）、あるいはそれ以上という先生も大勢います」

講演会や出版で稼いでいる教授は日本にもザラにいるが、給料の何倍もの副収入がある、という日本人は多くはない。

さらに、中国の大学教授にはほかにも日本ではあり得ない副業がある。それは受験生（高校生）の家庭教師だ。

中国では日本と同様、学習塾には学習塾専門のプロの教師がいる。家庭教師の世界にもプ口が増えているが、まだ全国的に見れば、大学生に依頼することが多い。有名大学への進学を希望するなら、有名大学の大学生に依頼する。北京大学、清華大学などの名門の現役学生で、しかも理系なら、1時間500～700元（約7500円～約1万5000円）と高額なアルバイトになる。

大学教授が高校生を教えるとなると、さらに金額は高くなる。実際にいくらくらいになるのか聞くことはできなかったが、1時間1000元（約1万5000円）か、あるいはそれ以上でも、教えてほしいという受験生や保護者は多い。

医師にとって副収入は織り込み済み

医師も本業以外に高い副収入を見込める職業だ。

中国では医師に対して一般的に「高学歴で大変な職業なのに、収入はあまり高くない」というイメージを持っている。社会的地位も低くはないが高いともいえない。

日本では医師に対して（とくに開業医に対して）「お金持ち」というイメージを持っている人が多いと思うし、社会的地位も高いが、中国では必ずしもそうではない。

日本では高収入の職業として真っ先に挙げられるのが医師や弁護士だが、中国ではこの二つとも「お金持ち」というイメージはあまりなく、IT系の企業経営者や不動産ビジネスで儲けている人の方が「お金持ち」というイメージに近い。

新型コロナの影響により、中国では医師に対して尊敬の念を持つ人が増えたことは増えたが、以前は「なりたい職業」として憧れられるような存在ではなかった。

だが、医師の正式な給料はそれほど高くなくても、患者からの〝心づけ〟によって、医師の懐に入る実収入はかなり多い。

杭州在住の友人は数年前、夫が病気になり、杭州のかなり大きな病院に入院しなければならなかったが、医師は「今はちょうどベッドが空いていない」という理由でなかなか入院させてくれなかった。だが、友人が〝心づけ〟を直接渡すとコロッと態度が変わり、すぐにベッドが用意された。

「表向きは『ベッドが空いていない』というのですが、実際は大部屋でも1人分くらいは常に空けているのです。患者や患者の家族からの心づけは最初から織り込み済みで、それを持ってくれば即、入院手続きをする。それが暗黙の了解となっているのです」（友人）

医師が受け取るお金は「紅包《ホンバオ》」という。「紅包」は「お年玉」「謝礼」「心づけ」「お車代」などの意味で、誰かにお金を手渡すときに使う言葉だ。

かつて病院では渡すのが「当たり前」だった紅包だが、かなり前に「紅包禁止」という通達が出た。日本でも病棟の掲示板などにそうした内容のお知らせが貼ってあることがある。中国でも表面的には「心づけ」は禁止になっているのだが、それでもそうした習慣はずっと続いている。医師や看護師は給料があまり多くない分、この心づけを頼りにしているからなくならない。

杭州の友人によると、杭州で30代半ばくらいの中堅の医師ならば、月給は2万元（約30万円）くらいだが、心づけも合わせると10万元（約150万円）くらいに跳ね上がるという。

このような心づけはあくまでも個人の裁量なので金額は決まっていない。少なければ待遇が悪くなるのかどうかまではわからないが、紅包の金額が多くなればなるほど、待遇がよくなることは想像がつく。とくに手術を担当する外科の医師などは〝実入り〟が多いという。

お金を出せばよい医療が受けられる

中国の大病院に行くと、廊下に各医師の顔写真とともに、学歴や経歴が書かれたパネルのようなものが掲示されている。患者はどの医師に頼むか選ぶことができ、医師が著名で人気が高ければ、料金は高くなる。

大病院にはＶＩＰ（中国語で特需《ターシュー》ともいう）専用の診察室もある。大混雑している一般の外来と比べて、待ち時間はほとんどなく、有名教授に診察してもらうことができる。診察室の扉に「ＶＩＰ」と大きく書いてあるのですぐにわかるのだが、ここを利用できるのは、富裕層や特定の公務員、政府の上級幹部など限られた人々だ。

診察料は一般外来の20倍くらい、入院する際もＶＩＰ専用の病室を使うことができる。日本でも差額ベッドなどはあるが、診察に関して病院の受付で「一般」と「ＶＩＰ」を分けているところはない。同じ診療科でも、医師を選べない場合もある。

しかし、中国では特権階級の人からは高額な医療費を受け取ることができるし、支払う側も、よりよい医療を受けることができる。双方にとって、このような区分けはメリットがあると考えられている。

ここ数年は私立のクリニックも増えてきた。

以前、中国では日本にあるような個人病院（クリニック）は街中を歩いていてもあまり見かけなかったのだが、近年は大病院で経験を積んだ医師が「収入増」を求めて独立開業するようになった。

私立のクリニックは健康保険が適用されないため高額になるが、待ち時間の少なさや高いサービス、充実した施設を求めて、わざわざクリニックを選択する患者が増えている。とくに産婦人科の人気が高い。

上海に住む30代の知人は２年前の出産時に、一般病院ではなく私立のクリニックを選択した。入院と出産で約10万元（約150万円）と、料金は一般病院の10倍もかかったが、「食事もおいしいし個室もきれい。出産は一生に一度のことだし、奮発しました」と話していた。中間層以上の場合、本人の希望という以前に両親や義理の両親の強い勧めで、そうしたクリニックを選ぶことも少なくない。

一般の病室の大部屋は狭く、仕切りのカーテンも開けっ放しで、妊婦の環境としてはあまりいいとはいえないからだ。

ところで、新型コロナが発生する以前、爆買いブーム後の「コト消費」需要から、日本の私立のクリニックの中には、中国式の価格設定を取り入れるところも出てきた。

日本で人間ドックなどを行いたい訪日中国人向けに、一般診察室とは別に、特別診察室を設けて対応しているという。以前、拙著『中国人エリートは日本をめざす』の執筆のために取材した東京・高田馬場にある中国人向け大学受験予備校でも、一般の予備校生が使う大教室とは別に、ＶＩＰ用の小さな個室があった。

一般の人よりも多くのお金を支払えば、よりよい医師による医療や、よりよい先生による特別授業を受けられるという中国式の考え方が、在日中国人たちによって、日本にも導入されている。

卒業した大学によって給料が違う

このような差別化は、何事も平等主義の日本ではあり得ないが、中国ではあらゆるところで行われている。

中国人にとって最も身に染みて感じているのが、卒業した大学によって受け取る給料に違いがある、ということだろう。

日本では4年制大学（学部）の卒業生で、同じ文系ならば、基本的にA大学卒でもB大学卒でも給料は一律だが、中国では異なる。だから、中国人にとっては「どの大学を卒業したか」は自分のメンツにかかわるだけでなく、生涯に渡って自分の収入に直接的に響いてくる。だからこそ、みんな幼いころから必死になって勉強するのだ。

2020年7月、中国薪酬指数研究機構が発表した「2020中国高校（高等教育機関）卒業生薪酬指数排名トップ100」によると、報酬指数の高い大学名と専門、卒業生の平均

図表6-1　高等教育機関卒業生報酬指数ランキング

	大学名	専門	所在地	報酬指数	卒業生平均報酬　（元）
1	清華大学	理工	北京	86.9	10818
2	北京大学	総合	北京	86.7	10698
3	上海交通大学	総合	上海	86.5	10673
4	対外経済貿易大学	財経	北京	86.4	11028
5	北京外国語大学	言語	北京	86.3	10922
6	外交学院	言語	北京	86.3	10688
7	浙江大学	総合	浙江省	86.0	10461
8	中央財経大学	財経	北京	85.8	10065
9	上海外国語大学	言語	上海	85.8	10394
10	中国人民大学	総合	北京	85.5	10467

（出所）中国薪酬指数研究機構（2020年7月）

報酬は図表6－1の通りだった。

報酬指数とは、企業に入社後、1年経過した人を対象として、給与水準、就職率、人材成長率、報酬の上昇率などの要素から算出したものだ。

第1位は清華大学（理工）で卒業生の平均報酬は10818元（約16万2270円）。第2位は北京大学（総合）で、同10698元（約16万4470円）、第3位は上海交通大学（総合）で、10673元（約16万円）、第4位は対外経済貿易大学（財経）、第5位は北京外国語大学（言語）の順だった。中国人ならば誰でも「いい大学」と思う大学がランクインしている。

大学生に人気の就職ランキングを見て

も、近年はＢＡＴＨ（バイドゥ、アリババ、テンセント、ファーウェイ）や、それに続くプラットフォーマー、ＩＴ系企業の人気が非常に高い。

２０１０年ごろまでは中国の金融機関や外資系企業（欧米のメーカーやＩＴ系企業）の給料が高く人気があったが、近年は中国系の有名企業が外資を追い越した。

第１章でも述べた通り、これらの有名企業に就職して実力が認められれば、入社数年で、年収は日本円に換算して１０００万円を超える可能性が高い。

このような企業に勤務した場合、睡眠時間も削るほど多忙な生活になることが予想されるが、その代わり、20代の後半には、相当な資産を持つことも可能になる。

若者の中には「人生の前半で数年間がむしゃらに働いたら、後半は田舎に引っ越して、好きなことをして暮らしたい」という願望を持つ人さえ現れている。

中国はもともと終身雇用制ではなく、転職を繰り返しながら昇給していく、というのが普通だった。だが、働き方は生き方そのものであり、生き方に対する意識や価値観は、今後も数年単位で変わっていく可能性があるといえるだろう。

エピローグ

価値観の変化から見えてくる新しい中国人像

第1章から第6章まで、中国人の収入や支出、彼らの考え方、価値観、ライフスタイルの変化などについて紹介してきた。

ITの進化は人々の生活を便利にし、収入の増加は豊かな暮らしを実現させたが、それらによって最も変化したのは彼らの内面だった。

とくに第4章で取り上げた若者たちの「箱の中身を見ないでモノを買う」や「他人を安易に信用する」「自由に自己表現するのが好き」という事実に、私は衝撃を受けた。日本人ならば「当たり前のことじゃないか」と思うだろうが、これまでの中国人では「あり得ない」ことだったからだ。

長年中国社会をウォッチしてきた私も、いや、長年ウォッチしてきたからこそ、中国に対する固定概念や先入観はなかなか払拭することができない。過去の一時期に中国と深くかかわり、今は離れている人も同様だと思う。

自分が積み重ねてきた経験や過去の記憶が、新しい現象を受け入れるのを邪魔するからだ。

とくに中国については、日本メディアの画一的な報道から受ける影響も大きいと思う。だが、時代の先端をいく若者に関しては、それらをある程度捨てて、根本的に見方を変えていかなければ、これから先、中国を見る目はますます曇り、現実とかけ離れていくのではないか、と考えさせられた。

しかし、いくら社会の変化が激しいといっても、中国人が一足飛びに変わったわけではない。

私は2013年に出版した『中国人の誤解 日本人の誤解』で、当時20代だった80后の若者が語った、次の話を思い出した。

「日本に行ったとき不思議だったのは、『日本人はやりたいことは何でもできるのか』ということでした。たとえば、傍《はた》から見て、この人はどう考えても歌の才能がないと思う人が、30歳くらいまでアルバイトしながら歌手活動をしている。あるいは、目的もなく海外を放浪したりしている。親も『若いうちは』といって、ある程度許しますよね。あんなわがまま、中国では絶対に許されない。

日本人は『夢があることはいいことだ。あきらめないで』と考えますが、中国人は将来のために必死で勉強して、今やりたいことがあってもあきらめるんです。それが僕たち若者の普通の生活なのです」

私はこの後ろに、こう書いている。

「特別な才能を持って生まれた人だけが選抜され、それ以外の人はひたすら勉強で勝ち残っていくしかないという『中国的価値観』から見ると、日本のドラマに出てくる若者の行動も理解に苦しむそうだ」

さらに、こんな話が続く。

「子どものころ、中国のテレビで日本のスポーツアニメを見た中国人は『クラブ活動っていいなぁ』と夢中になるのですが、同時に抱くのは、『日本の高校生は、本当にこんなに夢みたいな生活をしているの？　まさか、嘘でしょう？』という疑問です。（中略）自分たちがこれほど苦しい生活を送っているのに、なぜ日本人は？と感じる。でも、やっぱり『自分も日本人のような青春を過ごしてみたい』とも思うのです（中略）。

勉強以外に特技があったって誰にも評価されない。（スポーツが得意でも）少しの得にもならない。それが中国の価値観であり、教育制度なのです」

取材したのは2012年。わずか8年前に彼らはこんなことを語っていたのだ。

改めて読み返して、自分自身、驚かされたが、この8年の間に中国で何が起きたかは、もう説明する必要はないだろう。

この話をもし今の20代や10代の中国人が聞いたら「この人たちは一体何をいっているの？　別に、やりたいことがあったら、何でも自分の好きなようにやればいいじゃないか」と一笑に付すかもしれないが、8年前の彼らは真剣にこのように考えて、やりたいことを我慢していたし、もっと前の世代から受け継いだ中国の古い価値観に縛られ、苦しみもがいていたのだ。

古い価値観とは、「勉強ができる人だけが認められる世の中だから、猛勉強して一流の大学に入り、いい企業に就職する。そして、結婚したら新しいマンションを買う。子どもを産んだら両親に預け、自分は仕事で出世する」というものだ。

だが、今では、古い価値観を受け入れるかどうかという以前に、現実のほうが変わってきてしまった。

たとえば、不動産の高騰や戸籍制度などの問題により、若者が不動産を購入することは現実的にほとんど不可能となってきた。

世界一厳しいともいわれる中国の「高考《ガオカオ》」（大学入試）を突破するため、子どもたちが深夜まで勉強しているという点は今も変わらないが、富裕層は中国式の詰め込み教育を嫌い、子どもをインターナショナルスクールに通わせて伸び伸び育てたり、幼いころから留学させたりするなど、以前と比べれば選択肢が増えた。

勉強ができないと肩身が狭いのは今も同じだが、ネットのおかげで、少なくとも自分の趣味を持つことが許されたり、その世界に没頭することはできるようになった。

就職についていて、以前は一流大学を卒業したからには、一流企業に就職しなければ恥ずかしくて道も歩けなかったし、もし一流企業に就職できなければ、親のメンツをつぶすからといって故郷に帰ることすらできず、架空の会社の名刺を作って親に本当のことを隠し続ける人がいた。

だが、近年では企業に就職しなくても、ＳＮＳ上にショップを開いたり、ＫＯＬとなって動画で稼いだり、自ら起業したりできるようになり、それが一つの働き方、生き方として許容され、チャンスが広がった。

ある程度の年齢になったら絶対に結婚するべきだ、という社会通念や価値観を押しつける親に反論できず、以前は春節の帰省シーズンになると「レンタル彼女」にお金を払って、親を安心させるために恋人のふりをしてもらったりしたが、今ではそんなことをしたら、SNSですぐにばれる時代になった。

その上、独身者が多すぎて、そこまで無理をする必要性がなくなってきたし、親にも自分の価値観を堂々といえるようになってきた。

子育てに関しても、以前、定年が早い両親は、孫の世話をすることだけが生きがいだった。子どもの人生に口出しすることは親として当たり前の権利だと思っていたが、経済的に豊かになり、健康寿命が延びた今は、親世代も「自分の人生」をエンジョイするようになり、忙しくなった。

子どものほうも、価値観の違う親に自分の子どもを預けたがらなくなり、子育ては夫婦が協力し合って行うものだという考え方に、少しずつシフトしてきている。

数年前、広東省で取材した女性は、日本研修のチャンスを得たので、子どもを実家に預けて長期間来日した。

中国では祖父母に子どもを預けっぱなしにして働く女性は珍しくないが、彼女は子育てをする日本人女性を見て、「人生の中で育児ができる時期は短いのだ」ということに気づき、「帰国して、子どもを引き取ったんです」とうれしそうに話してくれた。

本書で書いてきたことは、彼らがどんな消費行動を取っているかを知ることによって、その背後にある彼らの新しい価値観やライフスタイルの変化を紹介することだった。だが、取材を重ねていくうちに、これから先は、彼らの価値観が変わったから世の中も変わり、それによって新たな消費市場が形成されていく、という可能性もあるのではないかと感じた。

第2章で紹介した李氏夫婦のように「不動産は要らない」という価値観を持つ若者が増えてきたことにより、巷に賃貸物件が増えてきたことなどは、その一例だ。

賃貸物件が増え、それを利用する人が増えていけば、「何が何でも不動産を買わなければならない」という固定化した価値観や社会の共通認識はだんだんなくなってくる。「自分は自分、他人は他人」と思ったら気が楽になるし、賃貸物件が豊富にあれば、もっと転勤もしやすくなる。

住宅ローンに縛られなければ、レジャーや趣味に使えるお金が増えるだろう。

むろん、中国人は現金以外の資産を持つことが好きなので、不動産熱が大幅に下がることはこれから先も考えられないが、気負わない若者たちを見ていると、この先、不動産に対する意識は少しずつ変わっていくのではないかと感じる。

結婚もしない、子どもも産まないという考えの若者が猛烈な勢いで増えることで、大家族主義だった中国でも、レストランで「おひとりさま用」のセットメニューができるなど、社会のほうが現実に合わせるようになってきた。もしかしたら10年後、中国のレストランから円卓がなくなる日が来るかもしれない。

家族を持たない若者がペットを家族の一員としてかわいがるようになったことは第4章で述べたが、今後は旅行のときにペットを預けるペットホテルや、ペットと一緒に泊まれる宿が増えるなど、新しいマーケットができてくるかもしれない。

「一流大学を卒業しなくてもいい」、あるいは「人生、自分の好きなことをするほうがいい」という価値観の人が増えれば、画一的な「高考」の形式も、いつか変わっていかざるを得ない。

高考は「現代の科挙」と例えられるが、「役人がいちばん偉いのだ」という認識は、以前と比べると薄れてきた。社会的地位の高い職業を目指すのでなければ、無理して高考を受ける必要はなくなってくるだろう。

学問を重視する科挙のお国柄だからか、以前は「手に職」という日本人的な考え方は中国にはあまり馴染まなかったが、2016年ごろから日本の「匠の精神」が注目されたことがきっかけで、これまで中国であまり評価されてこなかったさまざまな職業が憧れの対象になってきた。デザイナーやイラストレーター、アニメクリエーター、カメラマン、料理人、パティシエ、建築家、美容師などの専門職だ。

東京・銀座の有名寿司店『すきやばし次郎』の小野二郎氏や、芸術家の草間彌生《くさまやよい》氏、建築家の安藤忠雄氏や隈研吾《くまけんご》氏などは、中国でも尊敬され、目標とされている。

長い間選択の自由が少なかった中国だが、社会の変化とともに価値観が多様化していき、「必ずこうでなければならない」という考え方よりも「自分はこうありたい」や「こういうものも世の中にあったらおもしろい」という柔軟な考え方に少しずつ変わってきた。

それはもちろん、ネットが彼らに大きな影響を与え、彼らが世界で起きていることを知って学んだからだが、そのネットによって、消費行動の可能性がますます広がってきた、とも感じている。新型コロナの感染が拡大したとき、ネットがなければ食料の調達は難しかったし、精神的なダメージはもっと大きかったのではないかと想像する。

ネットが普及してよかったと思うことの一つは、情報格差、地域格差、貧富の格差など、中国で問題になっていた格差が、ある程度解消できるようになってきたことだ。

中国では政府の規制があり、リアル店舗を開くのは日本より難しく、コネの有無も関係してくるが、ネット上ならば、資本やコネの有無に関係なく、誰でも平等に商売ができる。農村戸籍の人でも、都市戸籍の人と同じ土俵に立つことができるし、実力次第で十分に勝負することが可能だ。

中国の戸籍制度は生まれながらの身分差別のようなものだが、現在、さかんに行われているライブコマースなどは、距離を超え、立場を超えて商売できるという点で、ポストコロナの時代に合っていると思う。

もしかしたら、それも5年後にはすっかり様相が変わり、彼らのお金の使い方や価値観、ライフスタイルは、さらに〝進化〟を遂げている可能性もある。

そのときが楽しみでもあり、自分がついていけるか心配にもなるが、少なくとも、中国人の生活が以前に後戻りするようなことは、もう二度とないであろう。

あとがき

本書の執筆をする前、最後に中国に行ったのは２０１９年12月だった。大連で仕事があり、２泊３日という慌ただしい日程で出かけた。まさか、その１ヵ月後に武漢で新型コロナの感染が拡大し、それから1年以上に渡って、中国に足を踏み入れることができなくなってしまうとは、夢にも思わなかった。

本書はここ数年、世界に類を見ないほどの猛スピードで変化している彼らの日常生活の様子、価値観、ライフスタイルの変化などを「お金」を切り口に執筆したものである。

新型コロナの影響により、取材は電話やオンラインで行うことになり、残念ながら、相手の顔を直接見ながら話を聞くことはできなくなってしまったが、離れていても、多くの人々が快く私の取材に応じてくれたおかげで、なんとか書き上げることができた。

本文には入れられなかったことで、一つだけ、印象深い出来事として付記しておきたいことがある。

取材の過程で、私とほぼ同世代の50代前半の中国人数人に、初任給について聞いてみたことがあった。

上海市で大学講師になった男性の初任給は72元だった。河南省鄭州市で働いていた女性は50元、北京市の国営企業に勤務していた男性は62元、四川省成都市の公務員の女性は56・8元……。就職した年は1990年を挟んで2～3年ずつ違うが、いずれにしても100元にも満たなかったことに、私はとても驚いた。

1990年の為替レートは1元＝30円（2020年現在は1元＝15円）。50元の給料を当時の日本円に換算してみると1500円、現在のレートでは750円だ。当時の50元は現在の中国の貨幣価値に換算すると160元ほどに上がるが、それでも大きな違いはない。

2019年の上海市の大卒初任給の平均は9580元（約14万3700円）なので、仮に1990年の初任給の平均を50元とすると、彼らの給料は約30年で190倍にまで増えた計算になる。

単純比較はできないが、日本が高度経済成長していた最後の1970年の初任給は2万9400円、30年後の2000年の初任給の平均は19万2150円。日本も80年代のバブルを経て急成長したが、それでも7倍にも満たない。

ちなみに、私が大学を卒業したのも1990年なのだが、その当時の日本人の初任給の平均は16万9900円。私が入社した企業の初任給は、私の記憶では手取り17万8000円くらいだった。

2020年、日本人の大卒の初任給の平均は21万2000円。日本人の初任給は30年間でたった20％ほどしか増えていない。

この事実から、今の日本について考えさせられると同時に、いかに中国の発展がすさまじく、それが彼らの給料にも反映されているかということを改めて実感させられた。

あのころの中国人は、たとえ大卒のエリートであろうと職業選択の自由はなく、政府から分配された「単位」（職場）に勤め、「単位」から定められた狭い住居に住んでいた。人々は職場と自宅の往復をするだけで、レジャーと呼べるものはほとんどなく、テレビや電話もすべての家庭に普及していなかった。

私が1988年に北京に留学した際、街中には「貸し電話屋さん」があり、使っている人をときどき見かけた。

そのころ、外国人は原則として「外貨兌換券」（中国語では外滙《ワイホエ》）と呼ばれる外国人専用の通貨を使う決まりとなっていて、中国人が使う人民元とは区別されていた。北京ではスカートをはいている女性を見かけることはめったになく、私は上海に旅行したときに初めてスカートをはいている女性を見た。

学生寮に住んでいたので、市場の物価についてはあまりよく覚えていないのだが、四川省の女性の記憶によると、1回の食事は2角か3角（1角は1元の10分の1なので、当時のレートで1食は6円か9円）。四川省では5元あれば数日間、生活することができたそうだ。

彼女は56・8元の給料のうち20元を両親に仕送りし、3人の弟と妹の学費にしてもらっていたというから、それでも十分に生活が成り立っていたのだろう。

当時の中国には「糧票《リャンピャオ》」と呼ばれる食糧配給切符があり、一般の人々はそれを使ってコメや小麦粉を買っていた。私自身も少しの期間、使ったことがあるが、それらがなければ市場で自由に買い物をすることもできなかった。

日常的に使う公共交通機関のほとんどはバスで、北京の街中にはタクシーはもちろん、クルマ自体、あまり多く走っていなかった。

そんな、今では想像することすらできない時代から考えると、中国はまるで夢の国のように変わった。しかし、いいこと尽くめというわけではない。本書で紹介してきただけでも、少子高齢化、格差社会、年金・介護など、社会的、経済的な問題が山積している。日本でも起きている問題だが、中国は規模が大きいだけに、それがいざ表面化したときには、大問題になっていることが多い。

日中には共通する課題が多いが、たとえば公害などの環境問題や少子高齢化など、これまでは日本が先に歩んできた道を、中国も後を追うように歩んでいる、という印象があった。だが、取材を通して、これから先は、中国が歩んでいる道を、日本も歩むようなことがあるのではないか、と感じさせられた。

何事においても「日本のものさし」や「日本人の常識」は通用しない中国だが、彼らのお金の使い道を通して見えてくるリアルな生活状況から「今の中国」を理解するだけでなく、そこから私たち自身や、日本社会が抱えている問題についても、本書が考えるきっかけになり、自らを客観視する機会となれば幸いである。

本書を書き終えた２０２０年末、中国を始め、世界各国との往来はまだ自由にできない状態だが、１日も早く新型コロナが収束し、世界が平穏な日常を取り戻し、多くの人々と直接対面して交流できる日が来ることを心から願っている。

新型コロナが世界に先駆けて発生し、世界に先駆けて収束した中国について、日本人にはさまざまな思いや考えがあるだろうが、私たちが直接交流できない間に、中国国内に住む人々の成熟度は、さらに数歩進んだように見える。

２０２０年春から秋にかけて、大勢の中国人と電話で話したが、私との長時間に及ぶ電話を切る間際になると、彼らは必ず「日本の状況はどうですか。早く収束するといいですね」という言葉をつけ加え、私や私の家族を気遣ってくれた。

最後になりましたが、本書の執筆に当たり、ＰＨＰ新書編集長の西村健氏には大変お世話になりました。ありがとうございました。

２０２０年12月

中島　恵

PHP新書
PHP INTERFACE
https://www.php.co.jp/

中島 恵［なかじま・けい］

1967年山梨県生まれ。北京大学、香港中文大学に留学。新聞記者を経てフリージャーナリスト。中国、香港、アジア各国の社会事情、ビジネス事情などについて執筆している。

著書に『中国人エリートは日本人をこう見る』『中国人の誤解 日本人の誤解』『なぜ中国人は財布を持たないのか』『日本の「中国人」社会』『中国人は見ている。』(以上、日経プレミアシリーズ)、『中国人エリートは日本をめざす』(中公新書ラクレ)、『中国人富裕層はなぜ「日本の老舗」が好きなのか』(プレジデント社)などがある。

中国人のお金の使い道
彼らはどれほどお金持ちになったのか

PHP新書 1246

二〇二一年一月二十八日 第一版第一刷

著者――中島 恵
発行者――後藤淳一
発行所――株式会社PHP研究所
東京本部――〒135-8137 江東区豊洲5-6-52
第一制作部 ☎03-3520-9615(編集)
普及部 ☎03-3520-9630(販売)
京都本部――〒601-8411 京都市南区西九条北ノ内町11
組版――アイムデザイン株式会社
装幀者――芦澤泰偉＋児崎雅淑
印刷所
製本所――図書印刷株式会社

ISBN978-4-569-84845-7

ＰＨＰ新書刊行にあたって

「繁栄を通じて平和と幸福を」（PEACE and HAPPINESS through PROSPERITY）の願いのもと、ＰＨＰ研究所が創設されて今年で五十周年を迎えます。その歩みは、日本人が先の戦争を乗り越え、並々ならぬ努力を続けて、今日の繁栄を築き上げてきた軌跡に重なります。

しかし、平和で豊かな生活を手にした現在、多くの日本人は、自分が何のために生きているのか、どのように生きていきたいのかを、見失いつつあるように思われます。そして、その間にも、日本国内や世界のみならず地球規模での大きな変化が日々生起し、解決すべき問題となって私たちのもとに押し寄せてきます。

このような時代に人生の確かな価値を見出し、生きる喜びに満ちあふれた社会を実現するために、いま何が求められているのでしょうか。それは、先達が培ってきた知恵を紡ぎ直すこと、その上で自分たち一人一人がおかれた現実と進むべき未来について丹念に考えていくこと以外にはありません。

その営みは、単なる知識に終わらない深い思索へ、そしてよく生きるための哲学への旅でもあります。弊所が創設五十周年を迎えましたのを機に、ＰＨＰ新書を創刊し、この新たな旅を読者と共に歩んでいきたいと思っています。多くの読者の共感と支援を心よりお願いいたします。

一九九六年十月

ＰＨＰ研究所

1075 誰が天照大神を女神に変えたのか　武光 誠
1085 新渡戸稲造はなぜ『武士道』を書いたのか　草原克豪
1086 日本にしかない「商いの心」の謎を解く　呉 善花
1096 名刀に挑む　松田次泰
1104 一九四五　占守島の真実　相原秀起
1107 ついに「愛国心」のタブーから解き放たれる日本人　ケント・ギルバート
1108 コミンテルンの謀略と日本の敗戦　江崎道朗
1111 北条氏康　関東に王道楽土を築いた男　伊東 潤／板嶋常明
1115 古代の技術を知れば、『日本書紀』の謎が解ける　長野正孝
1116 国際法で読み解く戦後史の真実　倉山 満
1118 歴史の勉強法　山本博文
1121 明治維新で変わらなかった日本の核心　猪瀬直樹／磯田道史
1123 天皇は本当にただの象徴に堕ちたのか　竹田恒泰
1129 物流は世界史をどう変えたのか　玉木俊明
1130 なぜ日本だけが中国の呪縛から逃れられたのか　石 平
1138 吉原はスゴイ　堀口茉純
1141 福沢諭吉　しなやかな日本精神　小浜逸郎
1142 卑弥呼以前の倭国五〇〇年　大平 裕
1152 日本占領と「敗戦革命」の危機　江崎道朗
1160 明治天皇の世界史　倉山 満
1167 吉田松陰『孫子評註』を読む　森田吉彦
1168 特攻　知られざる内幕　戸髙一成［編］
1176 「縄文」の新常識を知れば 日本の謎が解ける　関 裕二
1177 「親日派」朝鮮人　消された歴史　拳骨拓史
1178 歌舞伎はスゴイ　堀口茉純
1181 日本の民主主義はなぜ世界一長く続いているのか　竹田恒泰
1185 戦略で読み解く日本合戦史　海上知明
1192 中国をつくった12人の悪党たち　石 平
1194 太平洋戦争の新常識　歴史街道編集部［編］
1197 朝鮮戦争と日本・台湾「侵略」工作　江崎道朗
1199 関ヶ原合戦は「作り話」だったのか　渡邊大門
1206 ウェストファリア体制　倉山 満
1207 本当の武士道とは何か　菅野覚明
1209 満洲事変　宮田昌明
1210 日本の心をつくった12人　石 平
1213 岩崎小彌太　武田晴人
1217 縄文文明と中国文明　関 裕二
1218 戦国時代を読み解く新視点　歴史街道編集部［編］
1228 太平洋戦争の名将たち　歴史街道編集部［編］